Triunfar

Eureka Math®

2.º grado
Módulos 1, 2 y 3

Publicado por Great Minds®.

Copyright © 2019 Great Minds®.

Impreso en los EE. UU.
Este libro puede comprarse en la editorial en eureka-math.org.
1 2 3 4 5 6 7 8 9 10 CCR 24 23 22 21 20

ISBN 978-1-64054-881-7

G2-SPA-M1-M3-S-05.2019

Aprender ♦ Practicar ♦ Triunfar

Los materiales del estudiante de *Eureka Math*® para *Una historia de unidades*™ (K–5) están disponibles en la trilogía *Aprender, Practicar, Triunfar*. Esta serie apoya la diferenciación y la recuperación y, al mismo tiempo, permite la accesibilidad y la organización de los materiales del estudiante. Los educadores descubrirán que la trilogía *Aprender, Practicar y Triunfar* también ofrece recursos consistentes con la Respuesta a la intervención (RTI, por sus siglas en inglés), las prácticas complementarias y el aprendizaje durante el verano que, por ende, son de mayor efectividad.

Aprender

Aprender de *Eureka Math* constituye un material complementario en clase para el estudiante, a través del cual pueden mostrar su razonamiento, compartir lo que saben y observar cómo adquieren conocimientos día a día. *Aprender* reúne el trabajo en clase—la Puesta en práctica, los Boletos de salida, los Grupos de problemas, las plantillas—en un volumen de fácil consulta y al alcance del usuario.

Practicar

Cada lección de *Eureka Math* comienza con una serie de actividades de fluidez que promueven la energía y el entusiasmo, incluyendo aquellas que se encuentran en *Practicar* de *Eureka Math*. Los estudiantes con fluidez en las operaciones matemáticas pueden dominar más material, con mayor profundidad. En *Practicar*, los estudiantes adquieren competencia en las nuevas capacidades adquiridas y refuerzan el conocimiento previo a modo de preparación para la próxima lección.

En conjunto, *Aprender* y *Practicar* ofrecen todo el material impreso que los estudiantes utilizarán para su formación básica en matemáticas.

Triunfar

Triunfar de *Eureka Math* permite a los estudiantes trabajar individualmente para adquirir el dominio. Estos grupos de problemas complementarios están alineados con la enseñanza en clase, lección por lección, lo que hace que sean una herramienta ideal como tarea o práctica suplementaria. Con cada grupo de problemas se ofrece una Ayuda para la tarea, que consiste en un conjunto de problemas resueltos que muestran, a modo de ejemplo, cómo resolver problemas similares.

Los maestros y los tutores pueden recurrir a los libros de *Triunfar* de grados anteriores como instrumentos acordes con el currículo para solventar las deficiencias en el conocimiento básico. Los estudiantes avanzarán y progresarán con mayor rapidez gracias a la conexión que permiten hacer los modelos ya conocidos con el contenido del grado escolar actual del estudiante.

EUREKA
MATH

Estudiantes, familias y educadores:

Gracias por formar parte de la comunidad de *Eureka Math*®, donde celebramos la dicha, el asombro y la emoción que producen las matemáticas.

En las clases de *Eureka Math* se activan nuevos conocimientos a través del diálogo y de experiencias enriquecedoras. A través del libro *Aprender* los estudiantes cuentan con las indicaciones y la sucesión de problemas que necesitan para expresar y consolidar lo que aprendieron en clase.

¿Qué hay dentro del libro Aprender?

Puesta en práctica: la resolución de problemas en situaciones del mundo real es un aspecto cotidiano de *Eureka Math*. Los estudiantes adquieren confianza y perseverancia mientras aplican sus conocimientos en situaciones nuevas y diversas. El currículo promueve el uso del proceso LDE por parte de los estudiantes: Leer el problema, Dibujar para entender el problema y Escribir una ecuación y una solución. Los maestros son facilitadores mientras los estudiantes comparten su trabajo y explican sus estrategias de resolución a sus compañeros/as.

Grupos de problemas: una minuciosa secuencia de los Grupos de problemas ofrece la oportunidad de trabajar en clase en forma independiente, con diversos puntos de acceso para abordar la diferenciación. Los maestros pueden usar el proceso de preparación y personalización para seleccionar los problemas que son «obligatorios» para cada estudiante. Algunos estudiantes resuelven más problemas que otros; lo importante es que todos los estudiantes tengan un período de 10 minutos para practicar inmediatamente lo que han aprendido, con mínimo apoyo de la maestra.

Los estudiantes llevan el Grupo de problemas con ellos al punto culminante de cada lección: la Reflexión. Aquí, los estudiantes reflexionan con sus compañeros/as y el maestro, a través de la articulación y consolidación de lo que observaron, aprendieron y se preguntaron ese día.

Boletos de salida: a través del trabajo en el Boleto de salida diario, los estudiantes le muestran a su maestra lo que saben. Esta manera de verificar lo que entendieron los estudiantes ofrece al maestro, en tiempo real, valiosas pruebas de la eficacia de la enseñanza de ese día, lo cual permite identificar dónde es necesario enfocarse a continuación.

Plantillas: de vez en cuando, la Puesta en práctica, el Grupo de problemas u otra actividad en clase requieren que los estudiantes tengan su propia copia de una imagen, de un modelo reutilizable o de un grupo de datos. Se incluye cada una de estas plantillas en la primera lección que la requiere.

¿Dónde puedo obtener más información sobre los recursos de Eureka Math?

El equipo de Great Minds® ha asumido el compromiso de apoyar a estudiantes, familias y educadores a través de una biblioteca de recursos, en constante expansión, que se encuentra disponible en eureka-math.org. El sitio web también contiene historias exitosas e inspiradoras de la comunidad de *Eureka Math*. Comparte tus ideas y logros con otros usuarios y conviértete en un Campeón de *Eureka Math*.

¡Les deseo un año colmado de momentos "¡ajá!"!

Jill Diniz

Jill Diniz
Directora de matemáticas
Great Minds®

Contenido

Módulo 1: Sumas y restas hasta el 100

Módulo 2: Suma y resta de unidades de longitud

© 2019 Great Minds® eureka-math.org

Módulo 3: Valor posicional, conteo y comparación de números hasta el 1,000

© 2019 Great Minds® eureka-math.org

2.º grado
Módulo 1

Práctica de fluidez

Componer decenas y sumar hasta diez es fundamental para las futuras estrategias que se aprenderán en el 2° Grado. Los estudiantes usan un vínculo numérico para mostrar con números la relación parte-entero.

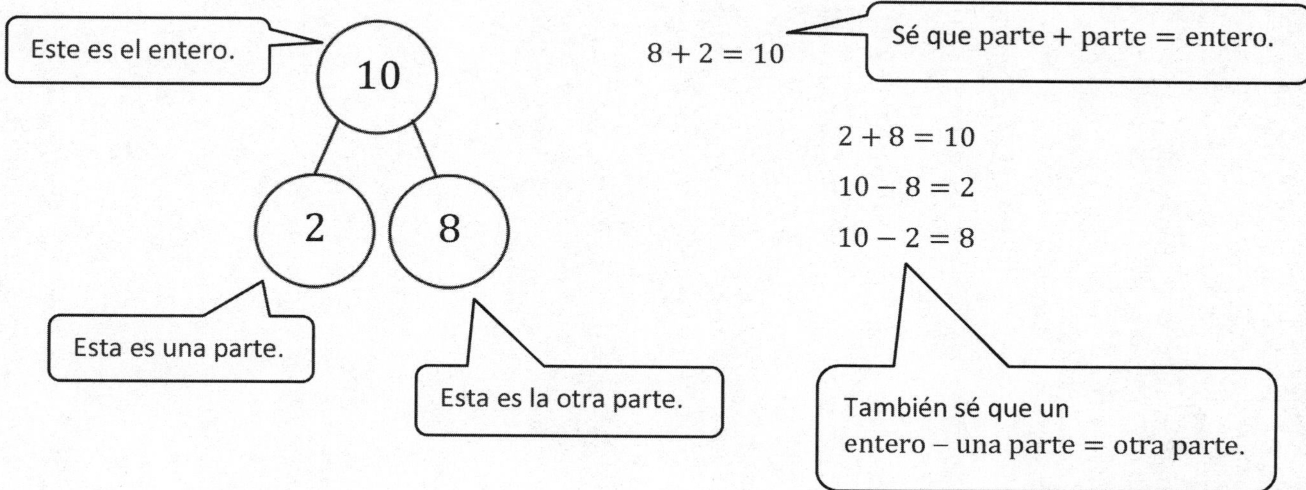
Este es el entero.
10
2
8
Esta es una parte.
Esta es la otra parte.
8 + 2 = 10
Sé que parte + parte = entero.
2 + 8 = 10
10 − 8 = 2
10 − 2 = 8
También sé que un
entero − una parte = otra parte.

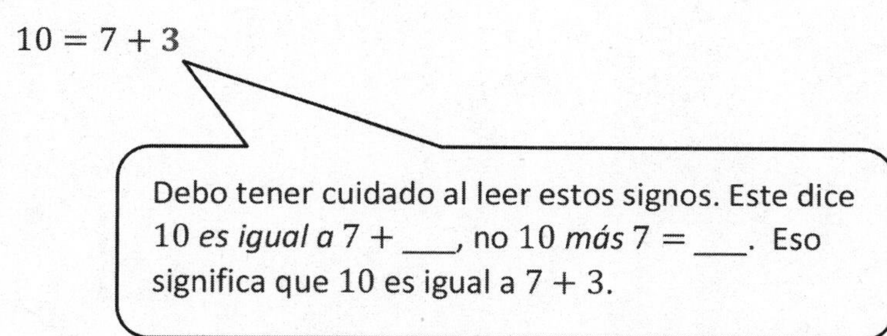
10 = 7 + 3
Debo tener cuidado al leer estos signos. Este dice
10 *es igual a* 7 + ___, no 10 *más* 7 = ___. Eso
significa que 10 es igual a 7 + 3.

© 2019 Great Minds®. eureka-math.org

Nombre ______________________ Fecha ____________

1. Suma o resta. Completa el vínculo numérico para cada conjunto.

9 + 1 = ____

1 + 9 = ____

10 – 1 = ____

10 – 9 = ____

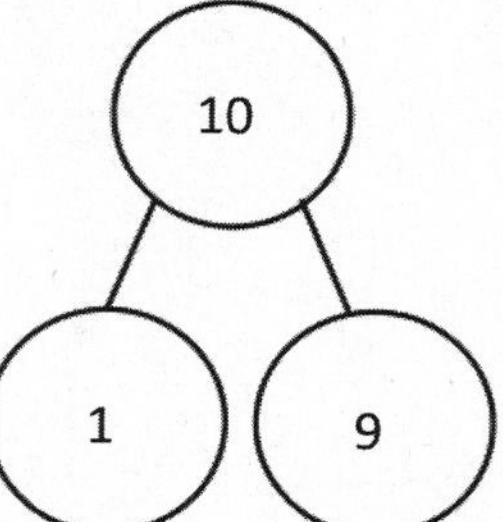
10
1
9

8 + 2 = ____

2 + 8 = ____

10 – 2 = ____

10 – 8 = ____

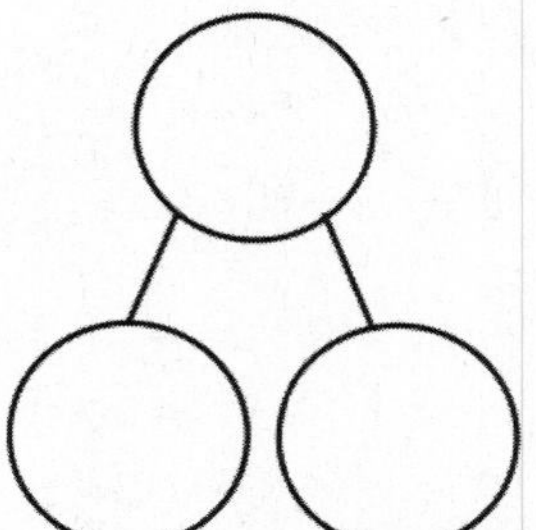

2. Resuelve. Dibuja un vínculo numérico para cada conjunto.

6 + 4 = ____

4 + 6 = ____

10 – 4 = ____

10 – 6 = ____

3 + 7 = ____

7 + 3 = ____

10 – 7 = ____

10 – 3 = ____

3. Resuelve.

10 = 7 + ____

10 = 3 + ____

10 = 5 + ____

10 = 2 + ____

10 = ____ + 8

10 = ____ + 4

10 = ____ + 6

10 = ____ + 1

© 2019 Great Minds®. eureka-math.org

Práctica de fluidez

Componer la siguiente decena y sumar a un múltiplo de diez es fundamental para las futuras estrategias que se aprenderán en el 2° Grado. Los estudiantes continúan usando un vínculo numérico para mostrar con números la relación parte-entero.

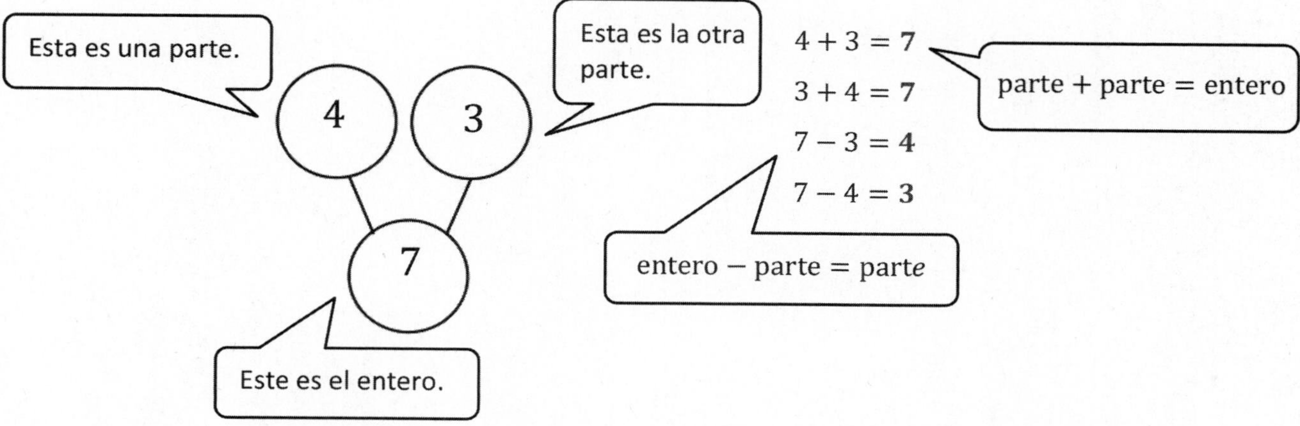
Esta es una parte.
4
3
Esta es la otra parte.
7
Este es el entero.
$4 + 3 = \mathbf{7}$
$3 + 4 = \mathbf{7}$
$7 - 3 = \mathbf{4}$
$7 - 4 = \mathbf{3}$
parte + parte = entero
entero − parte = parte

1. $30 + 6 = \mathbf{36}$

   Puedo sumar 3 decenas y 6 unidades para obtener 36.

2. $64 = 60 + \mathbf{4}$

   Puedo separar 64 en decenas y unidades.
   64 son 6 decenas y 4 unidades, así que $64 = 60 + 4$.

3. $35 = \mathbf{30} + 5$

   Puedo pensar que 35 es 5 más ¿qué?

© 2019 Great Minds®. eureka-math.org

Nombre ______________________________ Fecha ______________

1. Suma o resta. Dibuja un vínculo numérico para (b).

a. 6 + 2 = ____

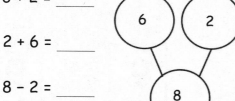

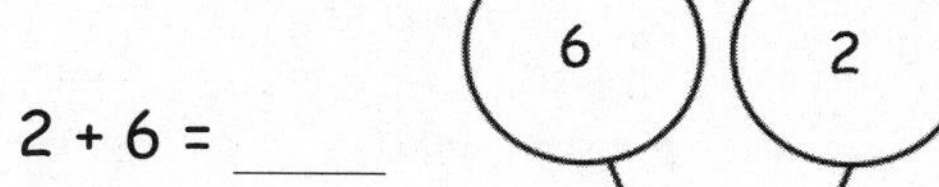
6
2
8

2 + 6 = ____

8 – 2 = ____

8 – 6 = ____

b. ____ = 3 + 5

____ = 5 + 3

____ = 8 – 3

____ = 8 – 5

2. Resuelve.

20 + 4 = ____

40 + 3 = ____

70 + 2 = ____

80 + 5 = ____

____ = 20 + 9

____ = 40 + 8

____ = 50 + 6

____ = 90 + 7

3. Resuelve.

14 = 10 + ____

23 = 20 + ____

71 = 70 + ____

82 = 80 + ____

19 = ____ + 9

29 = ____ + 9

78 = ____ + 8

87 = ____ + 7

© 2019 Great Minds®. eureka-math.org

Nombre ______________________________ Fecha __________

Carrera de vínculos numéricos

Haz tantos como puedas en 90 segundos. Escribe la cantidad de vínculos que terminaste aquí:

1. 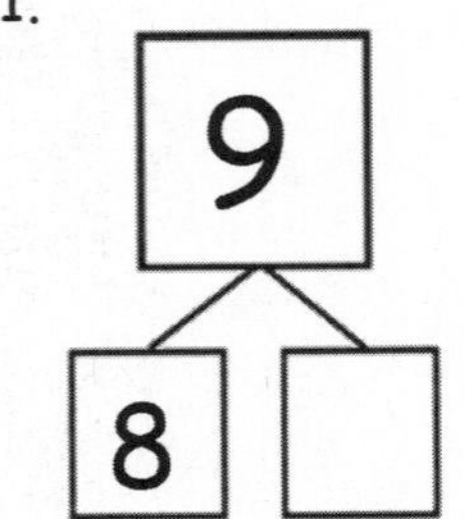

2. 

3. 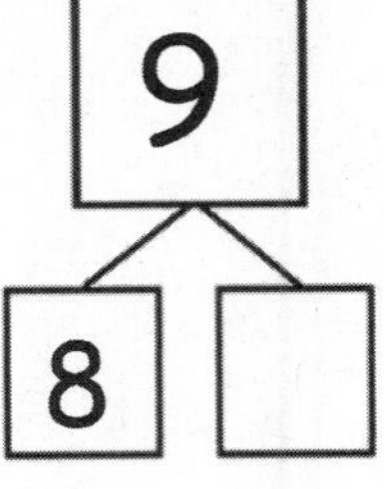

4. 

5. 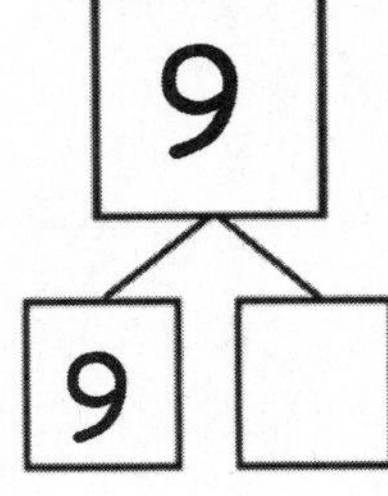

6. 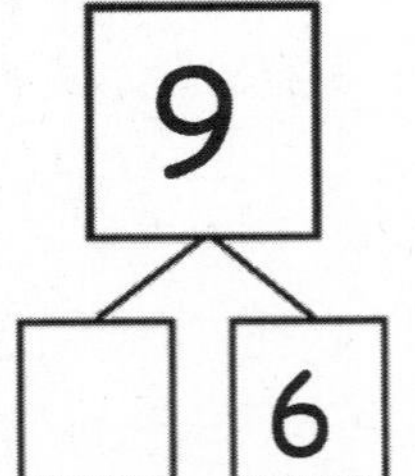

7. 

8. 

9. 

10. 

11. 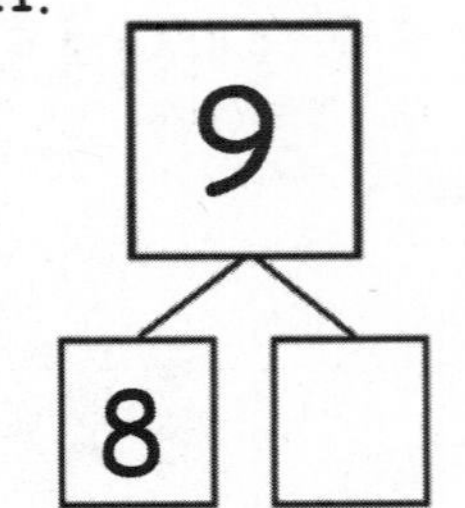

12. 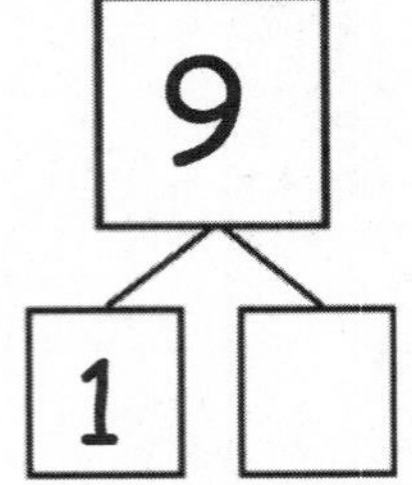

13. 

14. 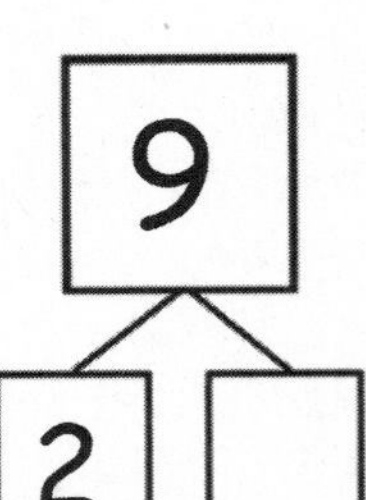

15. 

16. 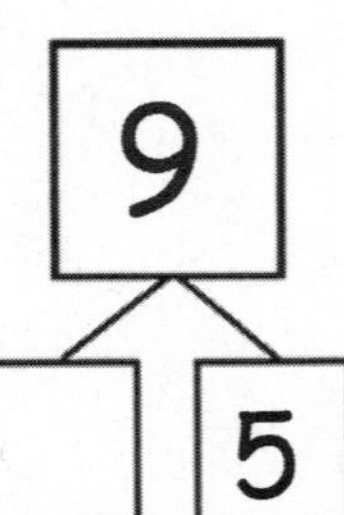

17. 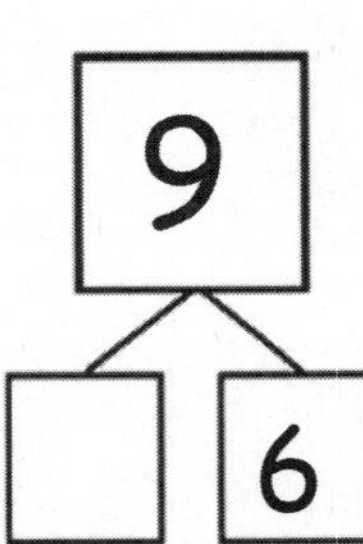

18. 

19. 

20. 9

3

© 2019 Great Minds®. eureka-math.org

Suma y resta unidades similares, unidades, para resolver problemas dentro de 100

1. $20 + 7 = \mathbf{27}$
2. $20 + 70 = \mathbf{90}$
3. $62 + 3 = \mathbf{65}$
4. $62 + 30 = \mathbf{92}$

$20 + 7 =$ _____

Puedo pensar que 2 decenas + 7 unidades = 2 decenas 7 unidades.

Para resolver 20 + 70, suma decenas a decenas. Las unidades son iguales, así que pueden juntarse al sumarlas.

2 decenas + 7 decenas = 9 decenas

Para resolver 62 + 3, suma unidades a unidades.

6 decenas 2 unidades + 3 unidades = 6 decenas 5 unidades

Para resolver 62 + 30, suma decenas a decenas.

6 decenas 2 unidades + 3 decenas = 9 decenas 2 unidades

5. Completa cada espacio en blanco en la siguiente tabla.

a. 24 + 5 = 29	b. 24 + 50 = 74 20 4
c. 78 - 3 = 75 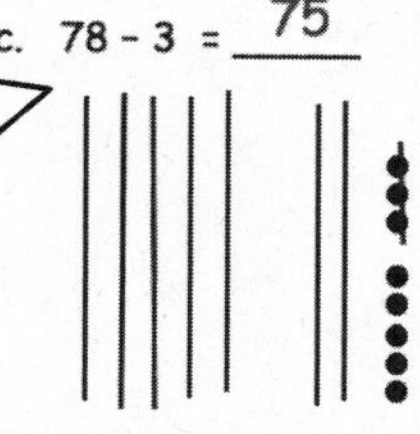	d. 78 - 30 = 48

Puedo usar un dato relacionado para ayudarme a resolver. Sé que 4 + 5 = 9, así que 24 + 5 = 29.

Puedo pensar 2 decenas + 5 decenas = 7 decenas. Puedo separar 24 y dibujar un vínculo numérico si necesito ayuda para ver unidades.

Dibujar decenas y unidades puede ayudarme. Ahora es fácil ver 8 unidades − 3 unidades es 5 unidades, y las 7 decenas no cambian.

© 2019 Great Minds®. eureka-math.org

Nombre ______________________ Fecha ____________

1. Resuelve.

a. 20 + 7 = ____

20 + 70 = ____

62 + 3 = ____

62 + 30 = ____

b. 80 – 20 = ____

85 – 2 = ____

85 – 20 = ____

86 – 20 = ____

c. 30 + 40 = ____

31 + 40 = ____

35 + 4 = ____

45 + 30 = ____

d. 70 – 30 = ____

75 – 30 = ____

78 – 3 = ____

75 – 40 = ____

© 2019 Great Minds®. eureka-math.org

2. Resuelve.

a. 42 + 7 = ______	b. 24 + 70 = ______
c. 49 − 2 = ______	d. 98 − 20 = ______

3. Resuelve.

a. 16 + 3 = ______ 13 + 6 = ______	b. 37 − 3 = ______ 37 − 4 = ______
c. 26 + 70 = ______ 76 + 20 = ______	d. 97 − 50 = ______ 97 − 40 = ______

© 2019 Great Minds®. eureka-math.org

Componer decenas con sumandos de 9, 8 ó 7

1. $9 + 3 = \mathbf{12}$

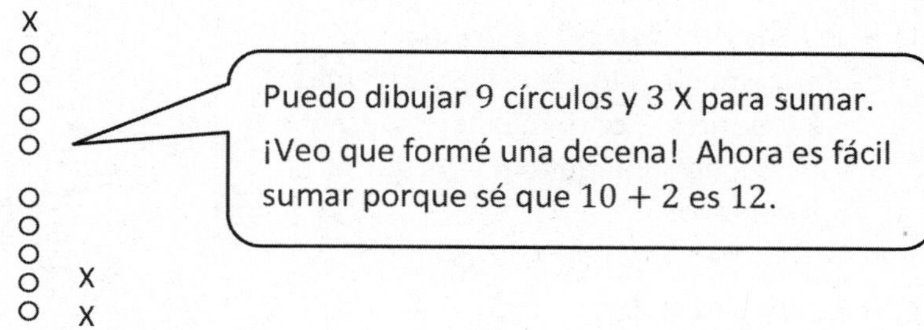
Puedo dibujar 9 círculos y 3 X para sumar.
¡Veo que formé una decena! Ahora es fácil sumar porque sé que 10 + 2 es 12.

2. $8 + 7 = \mathbf{15}$

2 5

$\mathbf{8 + 2 = 10}$

$\mathbf{10 + 5 = 15}$

También puedo resolver sin dibujo.

8 está más cerca de 10 que 7, así que puedo formar 10 con el 8.

A 8 le faltan 2 para formar 10, entonces puedo separar 7 con un vínculo numérico para sacar el 2.

Ahora puedo sumar 8 y 2 para obtener 10, y ahora es fácil sumar lo que queda; 10 y 5 son 15.

Entonces $8 + 7$ son 15.

3. $10 + 2 = 12$

Para resolver, puedo preguntarme ¿10 más qué son 12? 10 más 2 son 12.

4. $9 + 3 = 12$

Sé que 9 es 1 menos que 10, así que la respuesta para $9 + \_ = 12$ debe ser 1 más que $10 + \_ = 12$.

Entonces $9 + 3 = 12$.

© 2019 Great Minds®. eureka-math.org

5. Ronnie usa 5 bloques cafés y 8 bloques rojos para construir un castillo. ¿Cuántos bloques usa Ronnie en total?

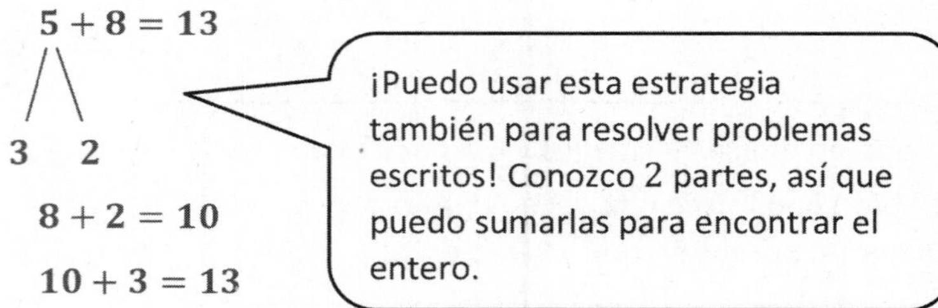
$5 + 8 = 13$
3 2
$8 + 2 = 10$
$10 + 3 = 13$
¡Puedo usar esta estrategia también para resolver problemas escritos! Conozco 2 partes, así que puedo sumarlas para encontrar el entero.

Ronnie usó 13 bloques en total.

© 2019 Great Minds®. eureka-math.org

Nombre ______________________ Fecha ____________

Resuelve.

1. 8 + 4 = ____ / \\ 2 2 8 + 2 = 10 10 + 2 = 12	2. 9 + 7 = ____
3. 9 + 3 = ____	4. 8 + 6 = ____
5. 7 + 6 = ____	6. 7 + 8 = ____
7. 8 + 8 = ____	8. 8 + 9 = ____

© 2019 Great Minds®. eureka-math.org

9. Resuelve y relaciona.

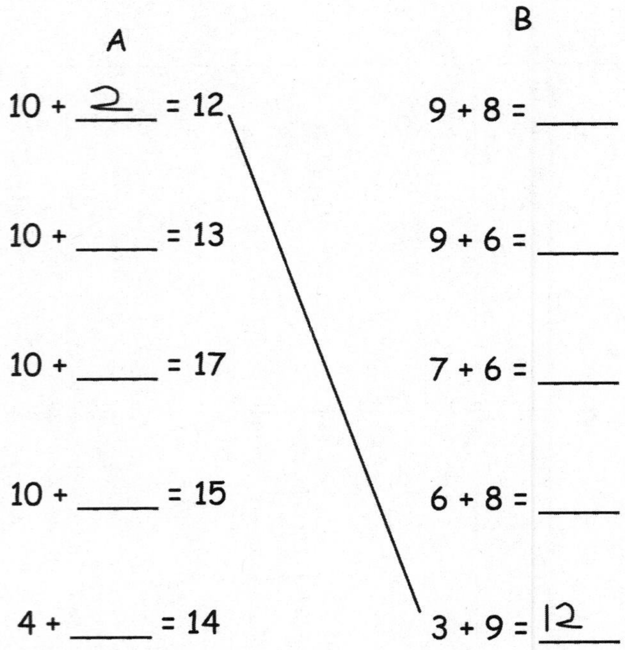
A
10 + 2 = 12
10 + ____ = 13
10 + ____ = 17
10 + ____ = 15
4 + ____ = 14
B
9 + 8 = ____
9 + 6 = ____
7 + 6 = ____
6 + 8 = ____
3 + 9 = 12

10. Ronnie usa 5 ladrillos cafés y 8 ladrillos rojos para construir un fuerte. ¿Cuántos ladrillos usa Ronnie en total?

Ronnie usa ______ ladrillos.

EUREKA MATH

© 2019 Great Minds®. eureka-math.org

Componer la siguiente decena

1. $9 + 3 = \mathbf{12}$

X
O
O
O
O

O
O
O
O X
O X

Si lo necesito, puedo dibujar círculos y X para sumar.

¡Veo que formé una decena! Ahora es fácil sumar porque sé que $10 + 2$ son 12.

2. $19 + 3 = \mathbf{22}$

/\
1 2

$\mathbf{19 + 1 = 20}$
$\mathbf{20 + 2 = 22}$

Sé que 19 está muy cerca de una decena, 20. Sólo le falta 1 más.

Puedo separar 3 con un vínculo numérico para sacar el 1.

Ahora puedo sumar 19 y 1 para obtener 20, y es fácil sumar 20 y 2.

Entonces $19 + 3$ son 22.

38 está cerca de 40. Sé que $8 + 2 = 10$, así que a 38 le faltan 2 para formar la siguiente decena.

3. $38 + 7 = \mathbf{45}$

/\
2 5

Puedo separar el 7 en 2 y 5 para sacar el 2.

En mi mente, puedo sumar $38 + 2$ para obtener 40. Ahora, sólo sumo lo que falta, $40 + 5$ son 45, así que $38 + 7 = 45$.

4. $8 + 78 = \mathbf{86}$

/\
6 2

$\mathbf{78 + 2 = 80}$
$\mathbf{80 + 6 = 86}$

Usar esta estrategia es fácil porque:

- Puedo separar números, como 8 en 6 y 2.
- Sé que 8 necesita 2 para formar 10, así que $78 + 2 = 80$.
- Sé cómo sumar decenas y algunas unidades, como $80 + 6$.

© 2019 Great Minds®. eureka-math.org

Nombre ______________________________ Fecha ______________

1. Resuelve.

a. 9 + 3 = ____ 1 2	b. 29 + 5 = ____
c. 49 + 7 = ____	d. 59 + 6 = ____
e. 18 + 4 = ____	f. 48 + 6 = ____
g. 58 + 6 = ____	h. 78 + 8 = ____

© 2019 Great Minds®. eureka-math.org

2. Resuelve.

a. 67 + 5 = ____	b. 87 + 6 = ____
c. 6 + 59 = ____	d. 7 + 78 = ____

3. Usa el proceso LDE para resolver los problemas.

Había 28 estudiantes en el recreo. Un grupo de 7 estudiantes salió para unirse a ellos. ¿Cuántos estudiantes hay ahora?

____

© 2019 Great Minds®. eureka-math.org

EUREKA MATH

1. $20 - 9 =$ **11**

Puedo dibujar 20 y mostrar cómo restaré 9 de una decena.

Ahora veo el 10 y el 1 que quedó, lo cual es 11. Entonces $20 - 9$ son 11.

2. $30 - 7 =$ **23**

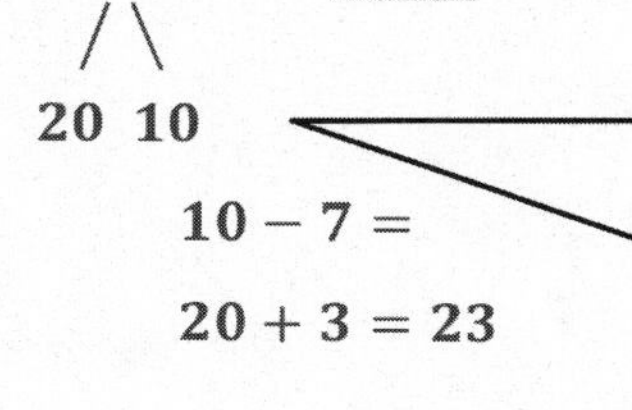
20 10
10 − 7 =
20 + 3 = 23

¡También puedo resolver sin dibujar!

Primero, separo 30 con un vínculo numérico para sacar 10.

Después, resto 7 de 10. Por mis pares para formar una decena sé que es 3.

$20 + 3 = 23$, entonces $30 - 7$ son 23.

3. $50 - 8 =$ **42**

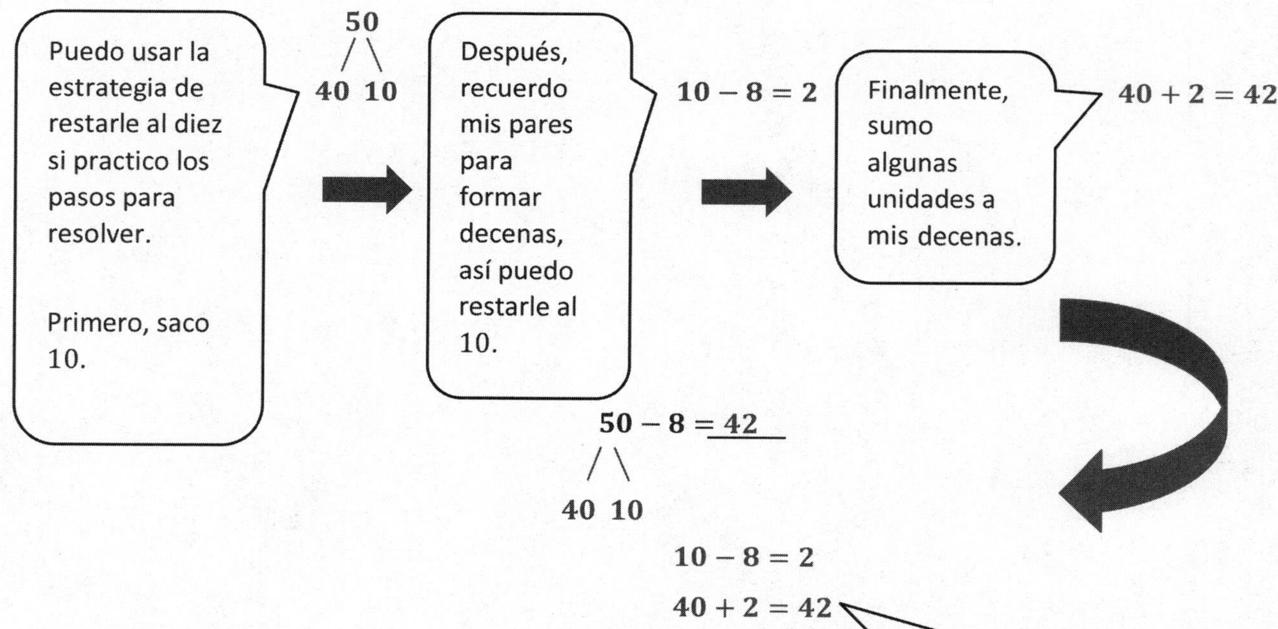
Puedo usar la estrategia de restarle al diez si practico los pasos para resolver.
Primero, saco 10.
50
40 10
Después, recuerdo mis pares para formar decenas, así puedo restarle al 10.
10 − 8 = 2
Finalmente, sumo algunas unidades a mis decenas.
40 + 2 = 42
50 − 8 = 42
40 10
10 − 8 = 2
40 + 2 = 42
Ahora, todo está listo para resolver.

© 2019 Great Minds®. eureka-math.org

Nombre ______________________ Fecha ____________

1. Saca diez.

30 / \ 20 10	40	50
70	60	80

2. Resuelve.

10 – 1 = ____	10 – 4 = ____	10 – 9 = ____
10 – 7 = ____	10 – 2 = ____	10 – 5 = ____

3. Resuelve.

a. 20 – 9 = <u>11</u> / \ 10 10 10 – 9 = 1 10 + 1 = 11	b. 30 – 9 = ____

© 2019 Great Minds®. eureka-math.org

c. 40 – 8 = _____	d. 50 – 8 = _____
e. 60 – 7 = _____	f. 70 – 7 = _____
g. 80 – 6 = _____	h. 90 – 5 = _____

4. Muestra cómo 10 – 4 te ayuda a resolver 30 – 4.

© 2019 Great Minds®. eureka-math.org

Restarle al 10

1. $12 - 9 =$ __3__

Puedo dibujar 12 y mostrar cómo voy a restar 9 de 10.
Ahora veo que quedan 1 y 2, lo cual son 3. Entonces $12 - 9 = 3$.

$12 - 9 = 3$
2 10

$10 - 9 = 1$
$2 + 1 = 3$

¡También puedo resolver sin dibujar! Puedo separar 12 en 2 y 10. Ahora es fácil restar 9 de 10. $10 - 9$ es 1. Y después simplemente sumo lo que queda. $2 + 1$ son 3.
Entonces $12 - 9$ son 3.

2. $14 - 8 =$ __6__

Primero, saca 10.

$14 - 8 =$ ___
4 10

Ahora, resta de 10.

$10 - 8 = 2$

Y sumar lo que queda es fácil porque conozco mis datos relacionados.

$2 + 4 = 6$

Así que $14 - 8 = 6$.

3. Shane tiene 12 lápices. Regala algunos lápices a sus amigos. Ahora le quedan 7. ¿Cuántos lápices regaló?

$12 - 7 = 5$
2 10

$10 - 7 = 3$
$3 + 2 = 5$

Shane regaló 5 lápices.

¡También puedo usar esta estrategia para resolver problemas escritos!

Conozco el entero y una parte. ¡Eso significa que falta una parte! Puedo restar para saber cuántos lápices regaló Shane.

© 2019 Great Minds®. eureka-math.org

Nombre ______________________ Fecha ____________

1. Sacar diez.

17 / \\ 7 10	14	18
13	16	19

2. Resuelve.

10 – 2 = _____	10 – 7 = _____	10 – 6 = _____
10 – 5 = _____	10 – 8 = _____	10 – 9 = _____

3. Resuelve.

a. 14 - 9 = _____ /\\ 4 10 10 – 9 = 1 1 + 4 = _____	b. 15 – 8 = _____
c. 13 – 7 = _____	d. 12 – 8 = _____

© 2019 Great Minds®. eureka-math.org

Resuelve

4. Robert tiene 16 tazas. Algunas son rojas. Nueve son azules. ¿Cuántas tazas son rojas?

_____ tazas son rojas.

5. Lucy gastó $8 en un juego. Al principio tenía $14. ¿Cuánto dinero le queda a Lucy?

____

© 2019 Great Minds®. eureka-math.org

Restarle al 10

¡Puedo usar la misma estrategia de quitarle al diez cuando resto de números mayores!

1. $12 - 9 = 3$

2 10

$10 - 9 = 1$

$2 + 1 = 3$

$52 - 9 = 43$

42 10

$10 - 9 = 1$

$42 + 1 = 43$

Puedo separar 52 en 42 y 10. Ahora es fácil quitar 9. Por mis pares para formar decenas sé que $10 - 9$ es 1. Ahora sólo sumo lo que queda. $42 + 1$ son 43.

Entonces $52 - 9$ son 43.

2. 61 – 5 = **56**

¡A prepararse para usar esta estrategia! Quitemos 10.

$61 - 5$

51 10

Ahora, practiquemos restar de 10.

$10 - 5 = 5$

Y sumar lo que queda es fácil porque conozco mis datos relacionados.

$51 + 5 = 56$

3. La señora Watts tenía 12 tacos. Los niños comieron unos cuantos. Quedaron nueve tacos. ¿Cuántos tacos comieron los niños?

$12 - 9 =$ ___

2 10

$10 - 9 = 1$

$2 + 1 = 3$

Los niños comieron 3 tacos.

¡También puedo usar esta estrategia para resolver problemas escritos!

Conozco el entero y una parte. ¡Eso significa que falta una parte!
Puedo sustraer para averiguar cuántos tacos comieron los niños.

© 2019 Great Minds®. eureka-math.org

Nombre ______________________ Fecha ____________

1. Saca diez.

26 / \ 16 10	34	58
85	77	96

2. Resuelve.

10 – 1 = ____	10 – 5 = ____	10 – 2 = ____
10 – 4 = ____	10 – 7 = ____	10 – 8 = ____

3. Resuelve.

a. 13 – 7 = ____	b. 15 – 8 = ____
c. 14 – 6 = ____	d. 16 – 9 = ____

© 2019 Great Minds®. eureka-math.org

e. $42 - 7 =$ ____	f. $54 - 6 =$ ____
g. $71 - 5 =$ ____	h. $92 - 9 =$ ____

4. Emma tiene 16 marcadores. Le dio a Jack algunos. Le quedaron siete marcadores. ¿Cuántos marcadores le dio Emma a Jack?

____

© 2019 Great Minds®. eureka-math.org

2.º grado
Módulo 2

1. El largo de la imagen de la pala es de aproximadamente __8__ centímetros.

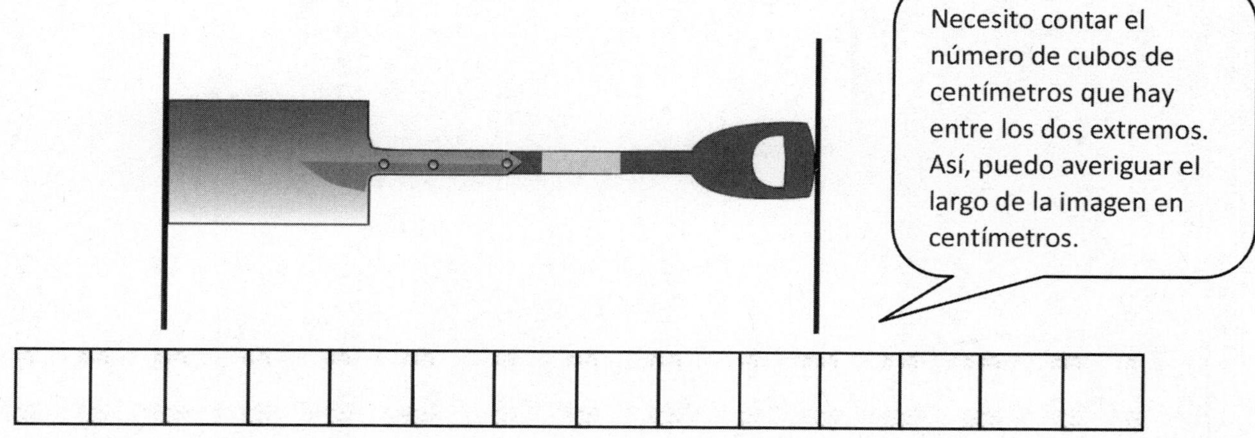
Necesito contar el número de cubos de centímetros que hay entre los dos extremos. Así, puedo averiguar el largo de la imagen en centímetros.

2. El largo de un desarmador es de 19 centímetros. La manija mide 5 centímetros. ¿Cuál es la longitud de la parte superior del desarmador?

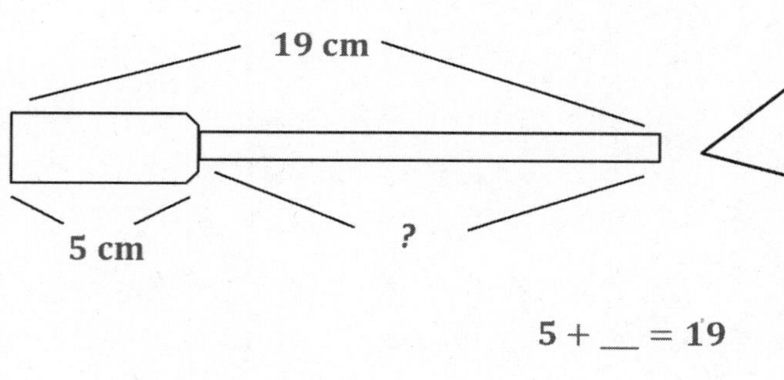
19 cm
5 cm
?

$5 + \_\_ = 19$

Puedo usar el proceso Leer-Dibujar-Escribir para resolver el problema. Dibujo un desarmador y etiqueto su longitud total como 19 cm. ¡Es igual que alinear mis cubos de centímetros! Sé que una parte mide 5 centímetros, así que lo etiqueto así. Uso la suma para averiguar la parte desconocida, que es 14 cm. Puedo escribir un enunciado completo de mi respuesta.

La parte superior del desarmador mide 14 centímetros.

© 2019 Great Minds®. eureka-math.org

Nombre ______________________________ Fecha ______________

Encuentra la longitud de cada objeto usando un cubo de un centímetro.

1. El crayón mide _____ cubos de un centímetro de largo.

2. El lápiz mide _____ cubos de un centímetro de largo.

3. El gancho de ropa mide _____ cubos de un centímetro de largo.

4.

La longitud del marcador es de _____ cubos de un centímetro.

© 2019 Great Minds®. eureka-math.org

5. Richard tiene 43 cubos de un centímetro. Henry tiene 30 cubos de un centímetro. ¿Cuál es la longitud de todos sus cubos juntos?

6. Marisa tiene una barra de pan que mide 54 centímetros. Si la corta y se come 7 centímetros de pan. ¿Cuál es la longitud de lo que le queda?

7. La longitud del libro de matemáticas de Jimmy es de 17 cubos de un centímetro. Su libro de lectura es 12 cubos de un centímetro más largo. ¿Cuál es la longitud de su libro de lectura?

© 2019 Great Minds®. eureka-math.org

EUREKA MATH

1. La imagen de la goma mide aproximadamente __4__ centímetros.

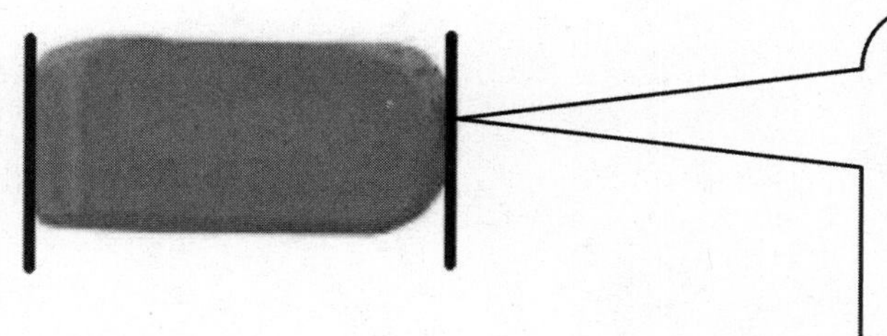

Puedo cortar el cubo de centímetros y usar la estrategia de marcar y continuar para medir la figura. Debo marcar el lugar en el que termina el cubo antes de que la pueda mover hacia adelante de nuevo.

2. John usó un cubo de centímetros y la estrategia de marcar y continuar para medir estos pedazos de cinta. Usa su trabajo para responder las siguientes preguntas.

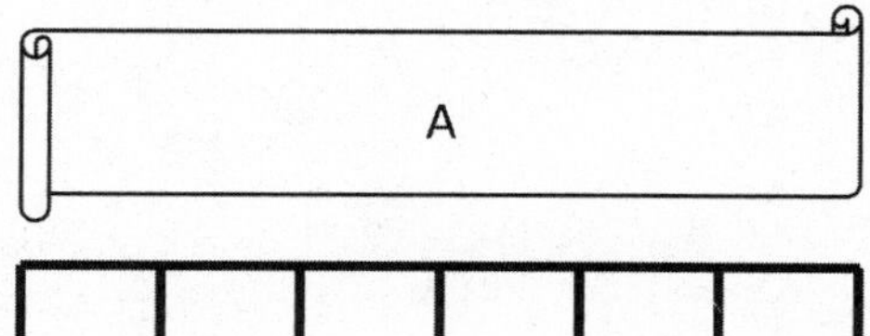
A

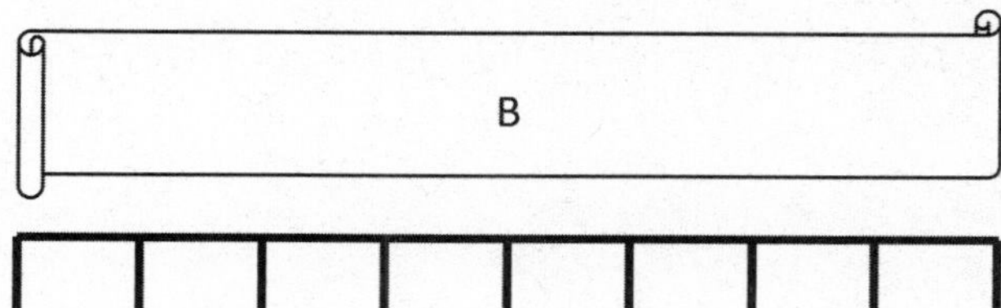
B

¿Cuánto mide la cinta A? __6__ centímetros.

¿Cuánto mide la cinta B? __8__ centímetros.

¿Qué Cinta es más corta? ***La cinta A***

La longitud total de las cintas A y B es de __14__ centímetros.

Dado que John midió sin espacios ni traslapes, ¡sé que la distancia entre las marcas de lápiz es la misma! Puedo contar las unidades de longitud para cada pieza de cinta.

© 2019 Great Minds®. eureka-math.org

Nombre ______________________________ Fecha ______________

Usa el cuadro de un centímetro que está en la parte inferior de la siguiente página para medir la longitud de cada objeto. Marca el extremo del cuadro conforme vas midiendo.

1. El dibujo del pegamento tiene aproximadamente ________ centímetros de largo.

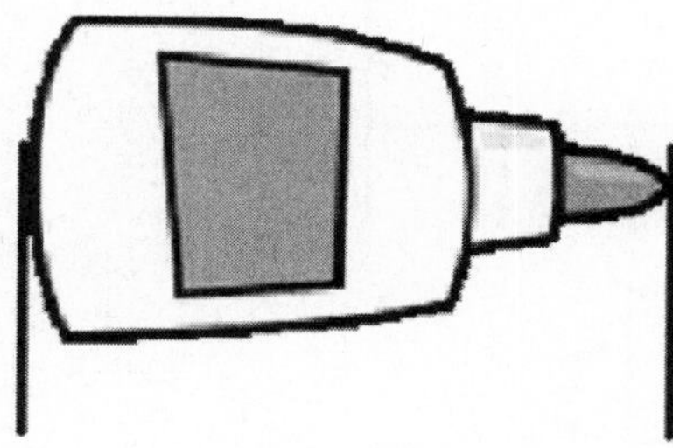

2. El dibujo de la paleta tiene aproximadamente ________ centímetros de largo.

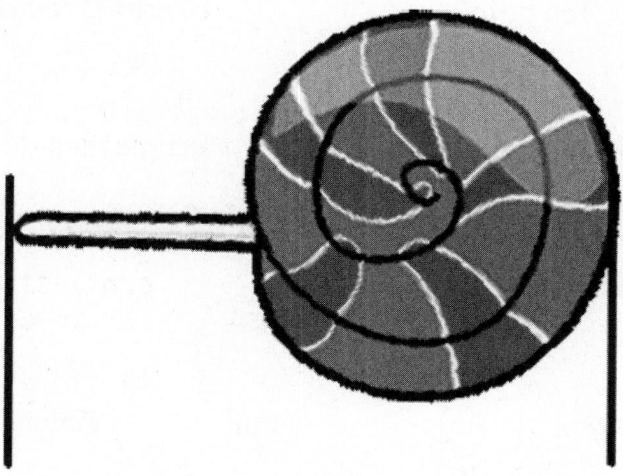

3. El dibujo de las tijeras tiene aproximadamente ________ centímetros de largo.

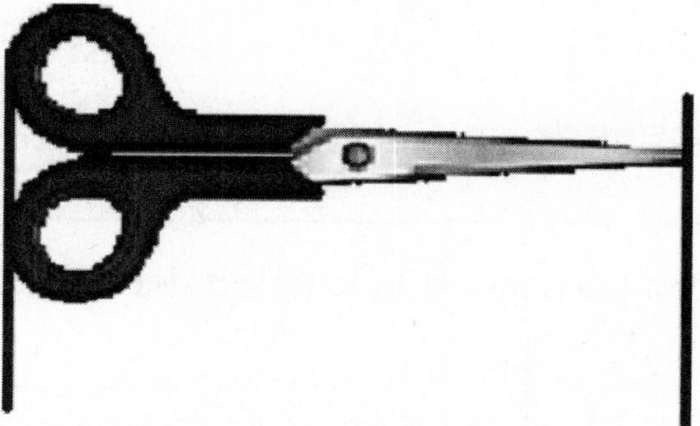

© 2019 Great Minds®. eureka-math.org

4. Samantha usó un cubo de un centímetro y la estrategia de marcar y seguir adelante para medir estos listones. Usa su trabajo para responder las siguientes preguntas.

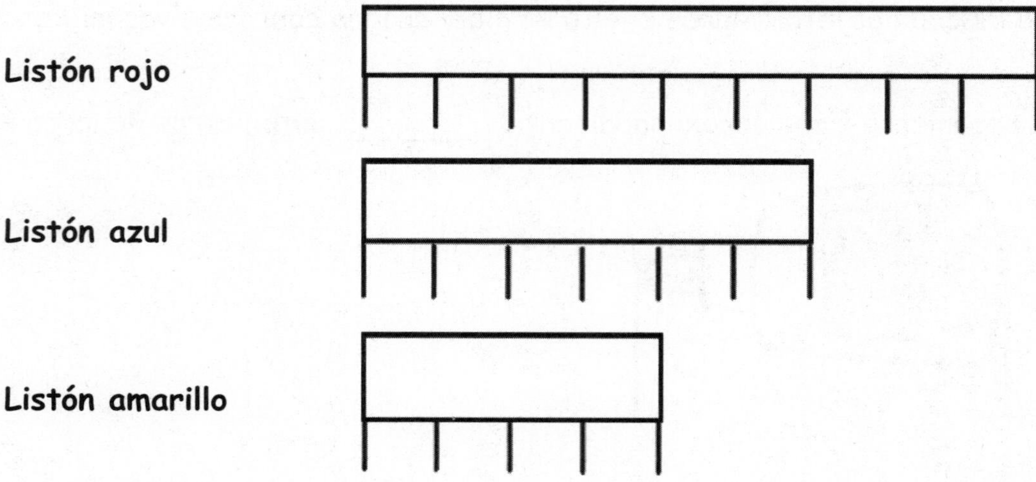
Listón rojo
Listón azul
Listón amarillo

a. ¿Cuál es la longitud del listón rojo? ____________ centímetros de largo.

b. ¿Cuál es la longitud del listón azul? ____________ centímetros de largo.

c. ¿Cuál es la longitud del listón amarillo? ____________ centímetros de largo.

d. ¿Cuál listón es el más largo? Rojo Azul Amarillo

e. ¿Cuál es el listón más corto? Rojo Azul Amarillo

f. La longitud total de los listones es de ________ centímetros.

Recorta este cuadro de un centímetro para medir la longitud del frasco de pegamento, la paleta y las tijeras.

© 2019 Great Minds®. eureka-math.org

Usa tu regla de centímetros para responder las siguientes preguntas.

1. La figura de la huella del animal mide aproximadamente **4** cm.

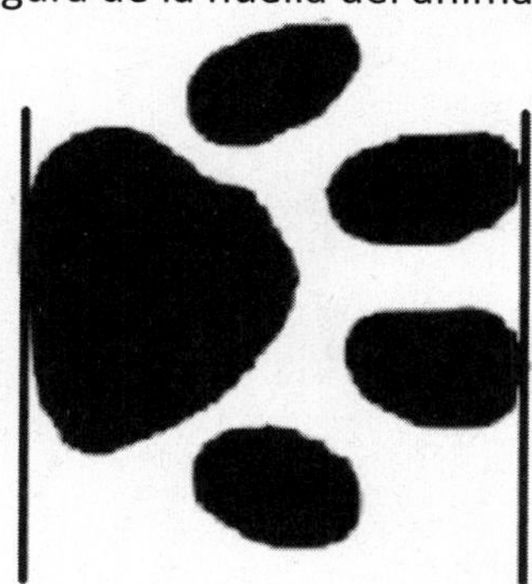

Sé cómo alinear mi regla de centímetros de manera precisa para medir la huella del animal. Puesto que mis marcas están etiquetadas, no necesito contar cada una; puedo notar fácilmente que la imagen mide 4 centímetros.

2. Mide las longitudes de los lados A, B y C. Escribe cada longitud en la línea.

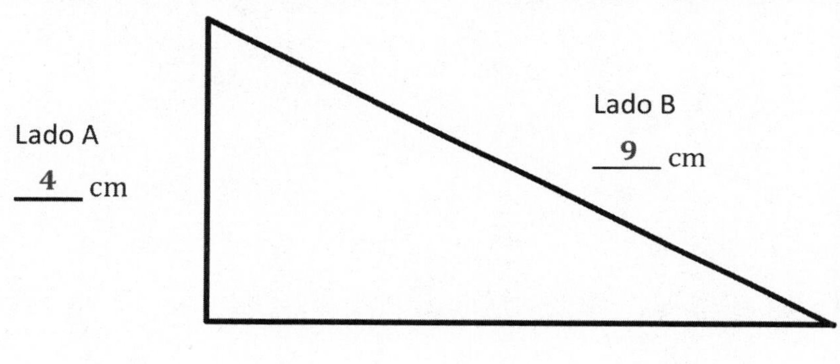

Lado A **4** cm

Lado B **9** cm

Lado C **8** cm

¿Cuál es la diferencia entre el lado C y el lado B? **1** cm

$$9 - 8 = 1$$

Puedo usar mi regla de centímetros para medir la longitud de cada lado. Luego, puedo comparar las longitudes de ambos lados restando.

© 2019 Great Minds®. eureka-math.org

Nombre ______________________________ Fecha ______________

Mide las longitudes de los objetos con la regla de centímetros que hiciste en clase.

1. La imagen del pez mide ______ cm de largo.

2. La imagen de la pecera mide ______ cm de largo.

© ciroorabona – Fotolia.com

3. La imagen de la pecera es ________ cm más larga que la imagen del pez.

© 2019 Great Minds®. eureka-math.org

4. Mide las longitudes de los lados A, B y C. Escribe cada longitud en la línea.

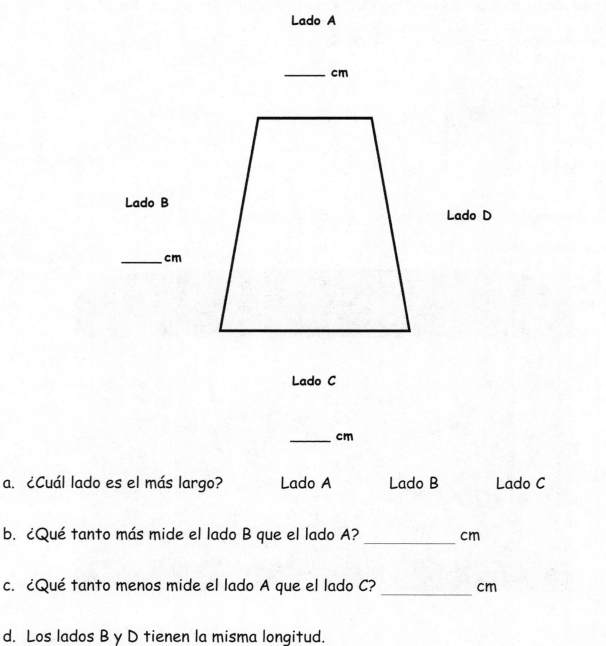

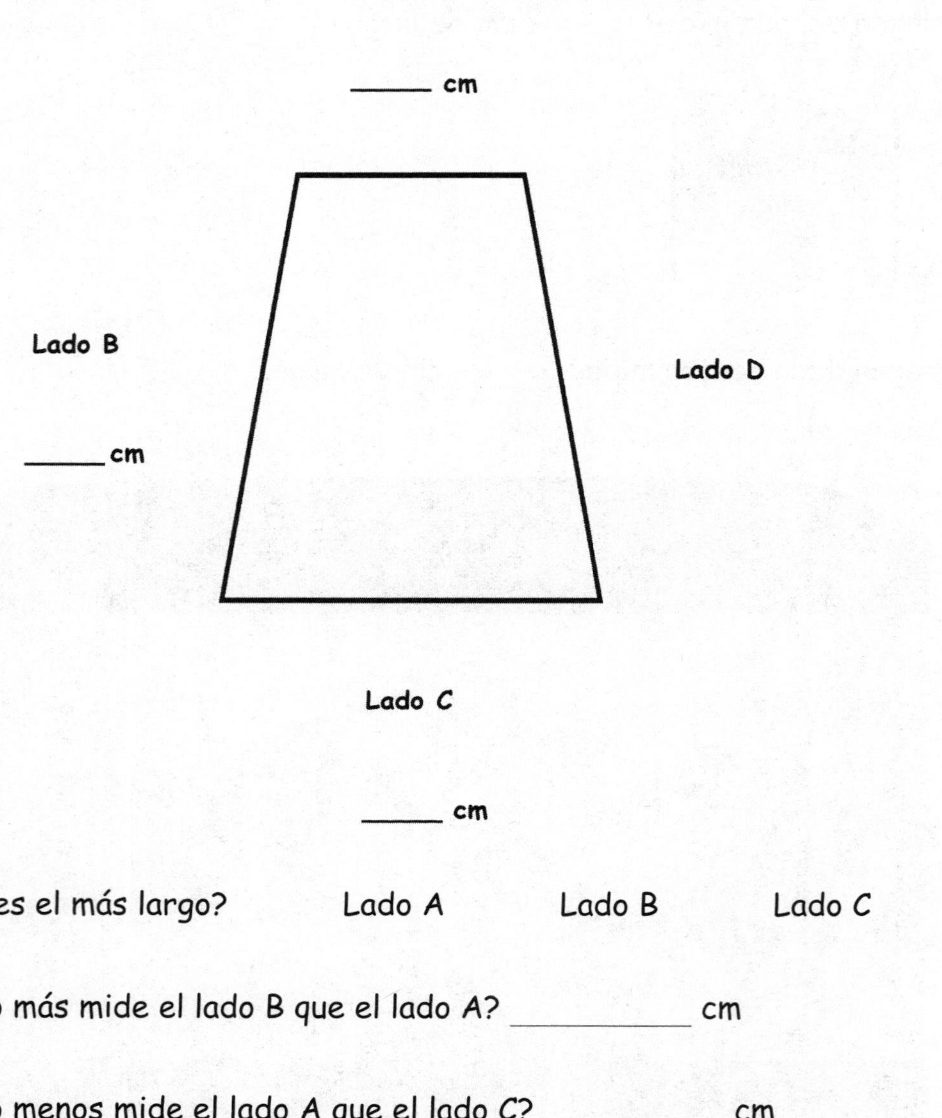
Lado A
_____ cm
Lado B
_____ cm
Lado D
Lado C
_____ cm

a. ¿Cuál lado es el más largo? Lado A Lado B Lado C

b. ¿Qué tanto más mide el lado B que el lado A? __________ cm

c. ¿Qué tanto menos mide el lado A que el lado C? __________ cm

d. Los lados B y D tienen la misma longitud.
¿Cuál es la longitud de los lados B y D juntos? __________ cm

e. ¿Cuál es la longitud total de los cuatro lados de esta figura? __________ cm

© 2019 Great Minds®. eureka-math.org

1. Encierra en un circulo cm (centímetros) o m (metros) para mostrar qué unidad usarías para medir cada uno de los objetos.

Longitud de un pegamento en barra
Longitud de una puerta
Longitud del escritorio del maestro
Longitud de un plumón

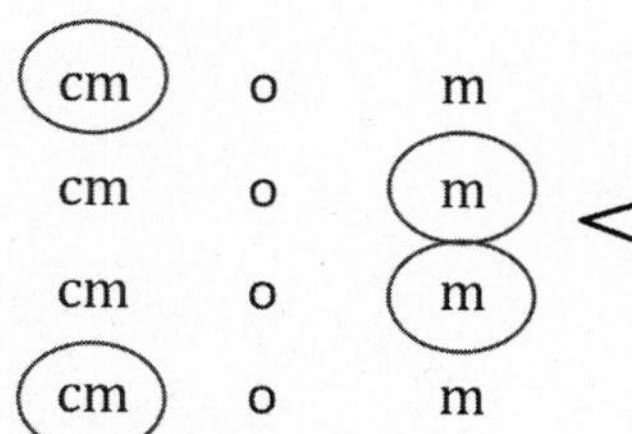
cm o m
cm o m
cm o m
cm o m

Sé que la puerta y el escritorio del maestro son más largos que 100 centímetros, así que lo puedo medir con mi regla de un metro.

2. Llena los espacios en blanco con cm o m.

La altura de un edificio es de 12 __m__.

La longitud del hilo azul era 8 __cm__ más largo que el hilo rojo.

El corredor rompió el record por la carrera de 500 __m__

Aquí, puedo usar mi sentido numérico. No creo que un corredor rompa un record por una carrera de 500 cm; ¡Serían solo 5 metros! La respuesta debe ser en metros.

3. Usa la siguiente regla de centímetros para encontrar la longitud (de una marca a la siguiente) de la figura.

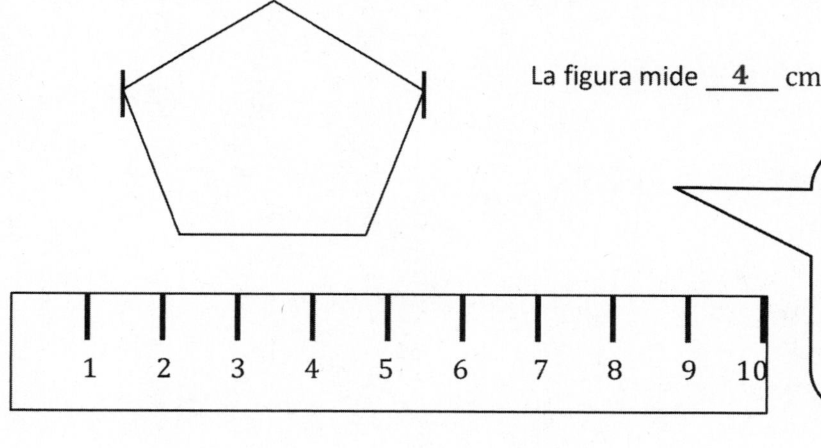
1 2 3 4 5 6 7 8 9 10

La figura mide __4__ cm.

Los extremos de la figura se alinean con la marca de 2 cm y con la de 6 cm en la regla. Puedo empezar en 2 centímetros y contar hasta 4 centímetros hasta llegar a 6 centímetros.

© 2019 Great Minds®. eureka-math.org

Nombre ______________________________ Fecha ______________

1. Encierra en un círculo cm (centímetro) o m (metro) para mostrar qué unidad usarías para medir la longitud de cada objeto.

   a. Longitud de un marcador cm o m

   b. Longitud de un autobús escolar cm o m

   c. Longitud de una laptop cm o m

   d. Longitud de un marcador resaltador cm o m

   e. Longitud de un campo de fútbol cm o m

   f. Longitud de un estacionamiento cm o m

   g. Longitud de un teléfono celular cm o m

   h. Longitud de una lámpara cm o m

   i. Longitud de un supermercado cm o m

   j. Longitud de un patio de recreo cm o m

2. Llena los espacios en blanco con **cm** o **m**.

   a. La longitud de una piscina es de 25 __________.

   b. La altura de una casa es de 8 ________.

   c. Karen es 6 ________ más bajita que su hermana.

   d. Eric corrió 65 ________ por la calle.

   e. La longitud de una caja de lápices es 3 ________ más larga que un lápiz.

© 2019 Great Minds®. eureka-math.org

3. Usa la regla de centímetros para encontrar la longitud (de una marca a la siguiente) de cada objeto

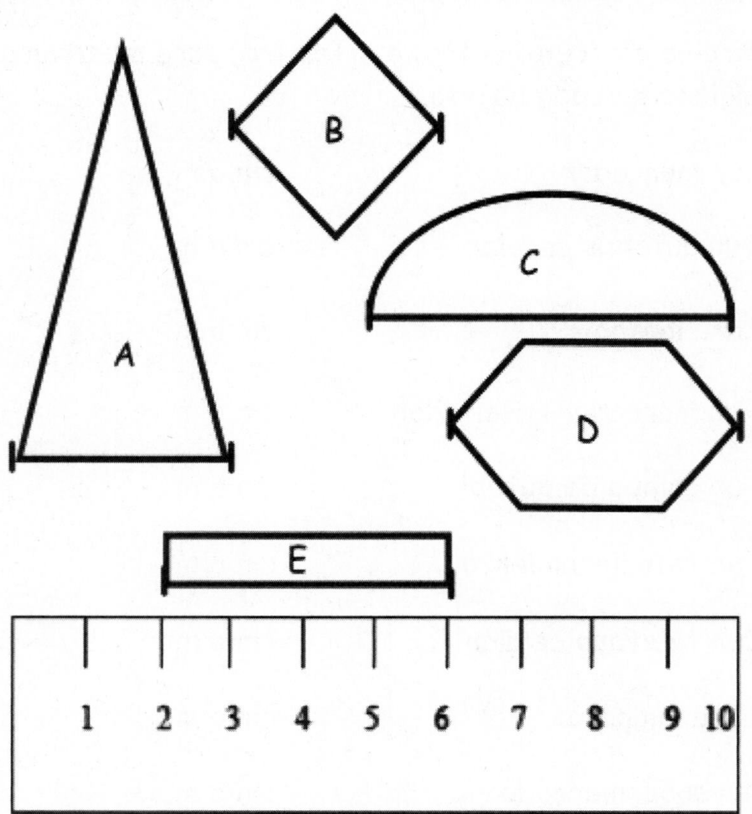
B
C
A
D
E
1 2 3 4 5 6 7 8 9 10

a. El triángulo A mide ____ cm de largo. El rombo B mide ____ cm de largo.

El semicírculo C mide ____ cm de largo. El hexágono D mide ____ cm de largo.

El rectángulo E mide ____ cm de largo.

b. Explica de qué manera la estrategia de encontrar la longitud de cada forma anterior es diferente a la manera en que encontrarías la longitud si usaras un cubo de un centímetro.

____

____

____

© 2019 Great Minds®. eureka-math.org

1. Menciona dos cosas de la escuela que podrías medir en metros. Haz un estimado de sus longitudes.

Objeto	Longitud estimada
pizarra	*4 metros*
Alfombra para leer en la esquina	*3 metros*

Sé que la longitud de la perilla al piso es de aproximadamente 1 metro. Creo que la alfombra para leer en la esquina mide 3 de esas longitudes. La alfombra parece más corta que la pizarra, así que calculo que la alfombra mide 3 metros.

2. Elige la longitud estimada más adecuada para cada objeto.

   a. Tablón de anuncios (2 m) o 35 cm

   b. Tijeras (13 cm) o 43 cm

   c. La parte superior del escritorio de un estudiante 18 cm o (62 cm)

Sé que una carpeta de anillos mide aproximadamente 30 centímetros. Puedo imaginar que dos de esas carpetas caben a lo largo de mi escritorio, lo cual sería 60 centímetros aproximadamente. Entonces, 62 centímetros es más cercano a 60 centímetros que 18 centímetros.

3. Mide la longitud de la siguiente línea usando tu dedo meñique. Escribe tu cálculo.

Cálculo: 7 cm

Como el ancho de mi dedo meñique es de aproximadamente 1 centímetro, puedo calcular y que la longitud de la línea es de aproximadamente 7 centímetros.

© 2019 Great Minds®. eureka-math.org

Nom.bre ______________________ Fecha ____________

1. Menciona cinco cosas en tu casa que medirías en metros.
   Calcula sus longitudes.

   *Recuerda, la longitud de la perilla de la puerta al suelo es de cerca de 1 metro.

Artículo	Longitud calculada
a.	
b.	
c.	
d.	
e.	

2. Escoge el mejor cálculo de longitud para cada objeto.

   a. Pizarra 3 m o 45 cm

   b. Plátano 14 cm o 30 cm

   c. DVD 25 cm o 17 cm

   d. Pluma 16 cm o 1 m

   e. Piscina 50 m o 150 cm

© 2019 Great Minds®. eureka-math.org

3. El ancho de tu meñique es de aproximadamente 1 cm.

   Mide la longitud de las líneas usando tu meñique. Escribe tus cálculos aproximados.

   a. Línea A ______________________________

      La línea A mide aproximadamente __________ cm de largo.

   b. Línea B _____

      La línea B mide aproximadamente __________ cm de largo.

   c. Línea C

      ____

      La línea C mide aproximadamente __________ cm de largo.

   d. Línea D ____

      La línea D mide aproximadamente __________ cm de largo.

   e. Línea E ____________________

      La línea E mide aproximadamente __________ cm de largo.

© 2019 Great Minds®. eureka-math.org

1. Mide cada grupo de líneas en centímetros y escribe la longitud en la línea. Completa los enunciados de comparación.

Línea A

Línea B

Línea C

> Puedo colocar mi cinta métrica a lo largo de cada línea para obtener su longitud. ¡Necesito alinear el punto cero de mi regla con el extremo de la línea!

Línea A	Línea B	Línea C
15 cm	5 cm	8 cm

Las Líneas A, B, y C miden aproximadamente **28** cm si las juntas.

La Línea C mide aproximadamente **7** cm menos que la Línea A.

> Puesto que la Línea A mide 15 cm y la línea C 8 cm, sé que la Línea C es más corta. Puedo restar: $15 - 8 = 7$. La Línea C es 7 cm más corta que la Línea A.

2. La Línea D mide 45 cm. La línea E mide 70 cm. La Línea F mide 1 m.

La Línea E es **25** cm más larga que la Línea D.

La línea E duplicada es **40** cm más larga que la Línea F.

> Sé que un metro equivale a 100 centímetros. Si duplico la línea E, medirá 140 cm porque $70 + 70 = 140$. 140 centímetros es 40 centímetros más que 100 centímetros.

3. Lanie midió la altura de su hermano menor. Mide 52 cm.
¿Cuál es la diferencia entre el metro y su hermano? **48** cm.

$52 + \_\_ = 100$

$52 + 8 = 60$

$60 + 40 = 100$

$8 + 40 = 48$

> Este es como el problema del sumando faltante. Puedo resolverlo sumando. Quiero llegar a 100 porque un metro mide 100 cm long. Sé que $52 + 8$ me llevará al amigable número 60. Entonces, $60 + 40 = 100$. Y, $8 + 40 = 48$.

© 2019 Great Minds®. eureka-math.org

Nombre ______________________________ Fecha ______________

Mide cada conjunto de líneas en centímetros y escribe la longitud en la línea. Completa la frase de comparación.

1. Línea A

   Línea B

   a. La Línea A es aproximadamente _____ cm más larga que la Línea B.

   b. Las Línea A y B miden aproximadamente _________ cm combinadas.

2. Línea X

   Línea Y

   Línea Z

   a. Línea X _____ cm   Línea Y _____ cm   Línea Z _____ cm

   b. Las Líneas X, Y y Z miden aproximadamente _________ cm combinadas.

   c. La Línea Z es aproximadamente _____ cm más corta que la Línea X.

   d. La Línea X es aproximadamente _____ cm más corta que la Línea Y.

   e. La Línea Y es aproximadamente _____ cm más larga que la Línea Z.

   f. El doble de la Línea X es aproximadamente ____ cm más larga que la Línea Y.

© 2019 Great Minds®. eureka-math.org

3. La línea J tiene 60 cm de largo. La línea K tiene 85 cm de largo. La línea L tiene 1 m de largo.

   a. La Línea J es _____ cm más corta que la Línea K.

   b. La Línea L es _____ cm más larga que la Línea K.

   c. El doble de la Línea J es _______ cm más larga que la Línea L.

   d. Las Líneas J, K y L combinadas miden ________ cm.

4. Katie midió la altura del asiento de cuatro sillas diferentes en su casa. Estos son sus resultados:

   Altura del sillón: 51 cm
   Altura de la silla del comedor: 55 cm
   Altura de la periquera: 97 cm
   Altura de un banco: 65 cm

   a. ¿Qué tanto es más pequeña la silla del comedor que el banco? ________ cm

   b. ¿ Qué tanto es más alto un metro de madera que el banco? ________ cm

   c. ¿Qué tanto es más alto un metro de madera que el sillón? ________ cm

5. Max corrió 15 metros esta mañana. Esta tarde, corrió 48 metros.

   a. ¿Cuántos metros más corrió en la tarde?

   b. ¿Cuántos metros corrió Max en total?

© 2019 Great Minds®. eureka-math.org

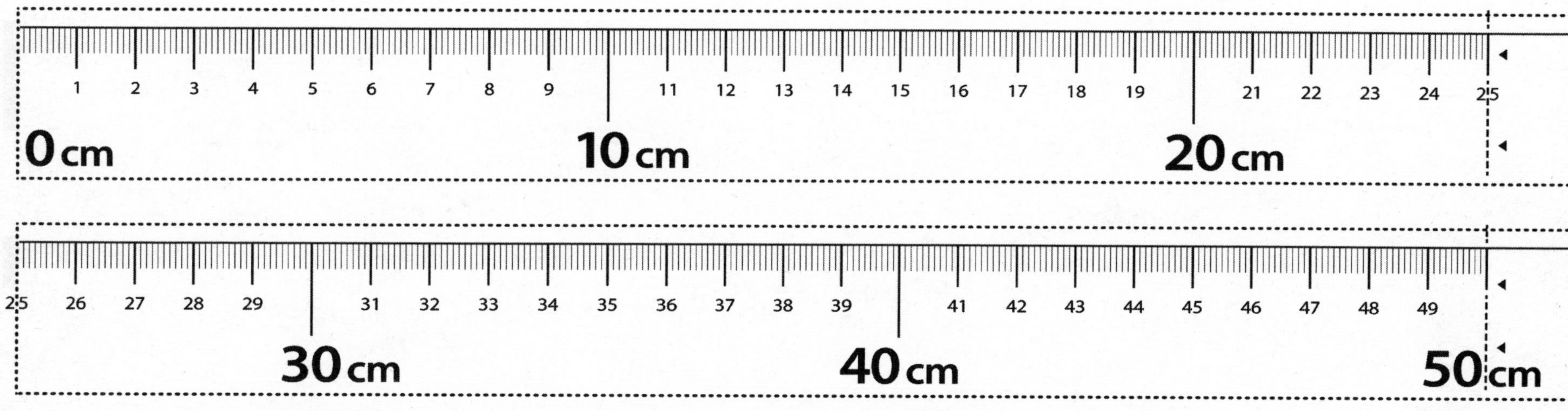
1 2 3 4 5 6 7 8 9 11 12 13 14 15 16 17 18 19 21 22 23 24 25
0 cm
10 cm
20 cm
25 26 27 28 29 31 32 33 34 35 36 37 38 39 41 42 43 44 45 46 47 48 49
30 cm
40 cm
50 cm

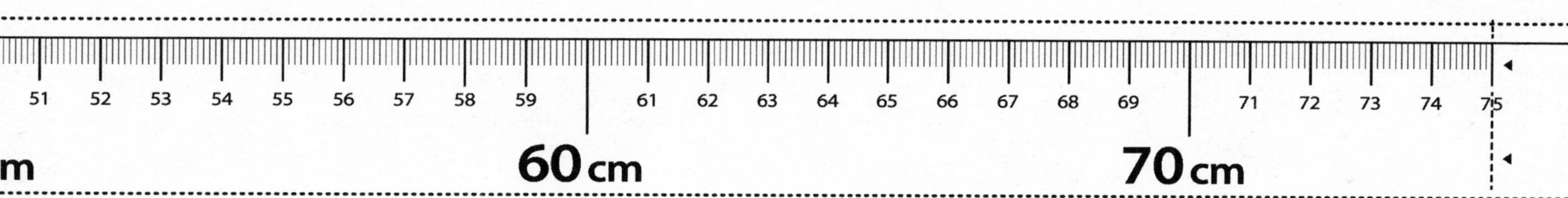
51 52 53 54 55 56 57 58 59 61 62 63 64 65 66 67 68 69 71 72 73 74 75
cm
60 cm
70 cm

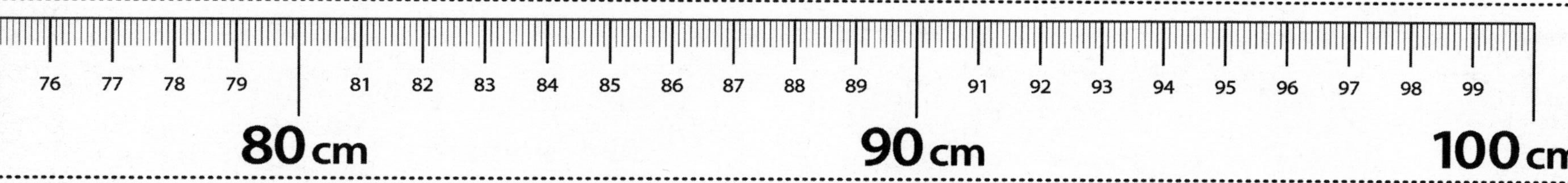
75 76 77 78 79 81 82 83 84 85 86 87 88 89 91 92 93 94 95 96 97 98 99
80 cm
90 cm
100 cm

cinta métrica

LEYENDA	------------CUT	- - - - - - ALIGN EDGE

© 2019 Great Minds®. eureka-math.org

1. Mide cada línea con clip de papel pequeño usando el método de estrategia de marcar y continuar. Después mídelas en centímetros usando una regla.

Línea A

Línea B

Línea A ___3___ clips de papel ___9___ cm

Línea B ___1___ clip de papel ___3___ cm

Línea A mide alrededor de ___2___ clips de papel más que la Línea B.

La Línea B duplicada es aproximadamente ___3___ cm más corta que la Línea A porque sé que $6 + 3 = 9$.

> Sé que la Línea B mide 3 cm. Si duplico su longitud entonces medirá 6 cm. Puedo hacer las cuentas mentalmente para averiguar que la línea B duplicada es 3 cm más corta que la línea A porque sé que $6 + 3 = 9$.

2. Christina midió la Línea C con monedas de un centavo y monedas de 25 centavos.

Línea C

¿Por qué Christina necesita más monedas de un centavo que monedas de 25 centavos para medir la Línea C?

Ya que las monedas de 25 centavos son más grandes, se necesitan menos para medir la misma línea. Si la unidad de medida es más pequeña, como una moneda de un centavo, se necesita un número mayor de monedas para medir la línea.

> Si el tamaño de la unidad es más grande, como las monedas de 25 centavos, se necesitan menos unidades. Si el tamaño de la unidad es más pequeño, como las monedas de un centavo, entonces se necesitan más unidades. Las monedas no son una buena herramienta para medir. ¡Los centímetros son mucho más confiables porque cada unidad de longitud es la misma!

© 2019 Great Minds®. eureka-math.org

Nombre ______________________________ Fecha ______________

Usa una regla de centímetros y clips para medir y comparar longitudes.

1. ________________________________ Línea Z

   a. Línea Z

   _____ clips _____ cm

   b. La línea Z duplicada mediría aproximadamente _____ clips, o aproximadamente _____ cm de largo.

2. ____ Línea A

   ______________________ Línea B

   a. Línea A

   _____ clips _____ cm

   b. Línea B

   _____ clips _____ cm

   c. La línea A es aproximadamente _____ clips más larga que la línea B.

   d. La línea B duplicada es aproximadamente _____ cm más corta que la línea A.

© 2019 Great Minds®. eureka-math.org

3. Dibuja una línea de 9 cm de largo y otra línea debajo de esta de 12 cm de largo.

   Etiqueta la línea de 9 cm como F y la línea de 12 cm como G.

   a. Línea F
      _____ clips

      Línea G
      _____ clips

   b. La línea G es aproximadamente _____ cm más larga que la línea F.

   c. La línea F es aproximadamente _____ clips más corta que la línea G.

   d. Las líneas F y G miden aproximadamente _____ clips de largo.

   e. Las líneas F y G miden aproximadamente _____ centímetros de largo.

4. Jordan midió la longitud de una línea con clips grandes. Su amigo midió la longitud de la misma línea con clips pequeños.

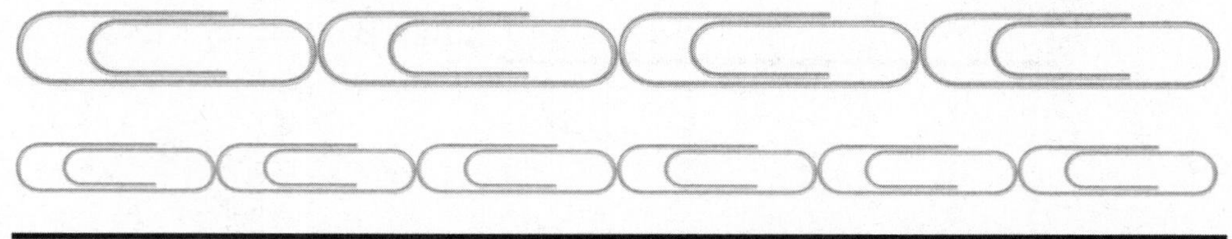

   a. Aproximadamente, ¿cuántos clips usó Jordan? _____ clips grandes

   b. Aproximadamente, ¿cuántos clips pequeños usó su amigo? _____ clips pequeños

   c. ¿Por qué el amigo de Jordan necesitó más clips para medir la misma línea que Jordan?

   ____

   ____

© 2019 Great Minds®. eureka-math.org

1.

A 

B

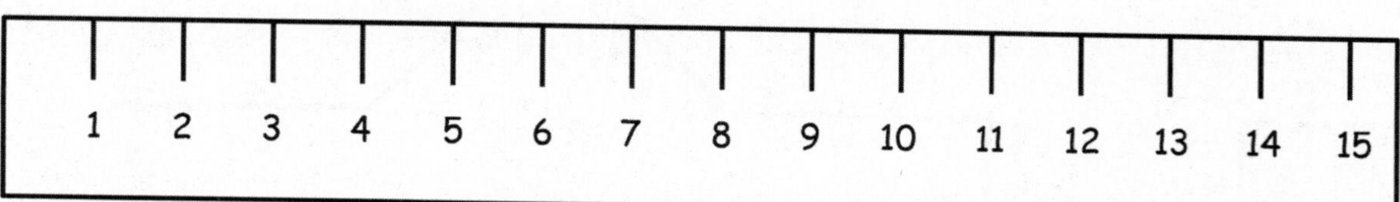
1
2
3
4
5
6
7
8
9
10
11
12
13
14
15

La Línea A mide **8** cm. $14 - 6 = 8$ La Línea B mide **9** cm. $11 - 2 = 9$

Las Líneas A y B miden **17** cm. $8 + 9 = 17$

La Línea A es **1** cm (más larga, **más corta**) que la línea B.

Puesto que la Línea B inicia en los 2 cm, puedo quitarle 2 cm de donde la línea termina, en 11 cm. Así, la línea mide 9 cm.

2. Un grillo saltó 5 centímetros hacia adelante y luego se detuvo. Si el grillo inició en el 23 de la regla, ¿Dónde se detuvo? Muestra tu trabajo en la regla de centímetros rota.

$23 + 5 = 28$ $28 - 9 = 18 + 1 = 19$

18 10

Puedo usar la suma y la resta para resolverlo. Puedo empezar en 23 y, luego contar 5. Después, puedo regresar 9 centímetros o restar 9. El grillo se detiene en los 19 cm.

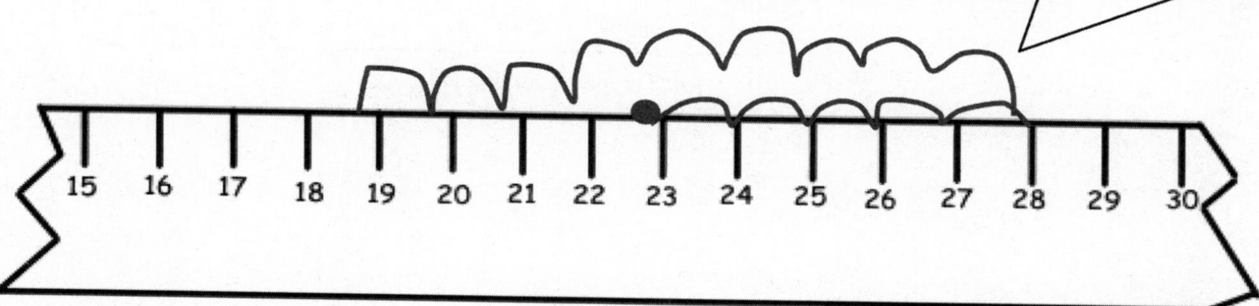
15
16
17
18
19
20
21
22
23
24
25
26
27
28
29
30

© 2019 Great Minds®. eureka-math.org

3. Todas las partes del siguiente camino son iguales en unidades de longitud. Llena las longitudes de cada lado.

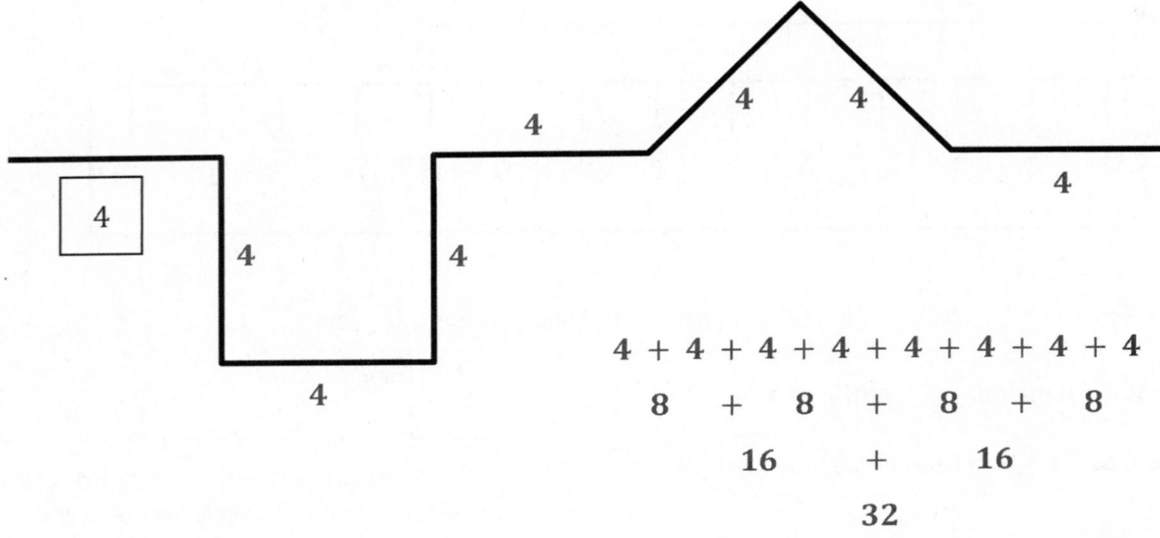
4
4
4
4
4
4
4
4

$4 + 4 + 4 + 4 + 4 + 4 + 4 + 4$

$8 + 8 + 8 + 8$

$16 + 16$

32

El camino mide __32__ unidades de medida.

¿Cuántas partes más necesitarías para que el camino midiera 40 unidades de medida? __2__ partes

Sé que el camino mide 32 unidades de longitud. Puedo pensar que $32 + \_\_ = 40$. El número desconocido mide 8 unidades de medida. Pero la pregunta pide el número de partes. Sé que cada parte mide 4 unidades de medida. De esta manera, 2 partes más, $4 + 4$, equivale a 8.

© 2019 Great Minds®. eureka-math.org

Nombre ______________________ Fecha __________

1.

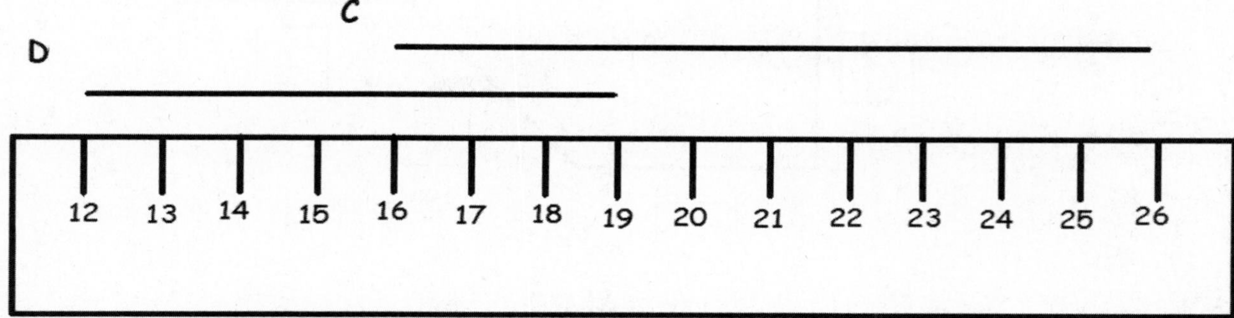
C
D
12
13
14
15
16
17
18
19
20
21
22
23
24
25
26

a. La Línea C tiene ______ cm.

b. La Línea D mide ______ cm.

c. Las Líneas C y D mide ______ cm.

d. La Línea C es ______ cm (más larga/más corta) que la Línea D.

2. Una hormiga caminó 12 centímetros a la derecha sobre la regla y luego se dio la vuelta y caminó 5 centímetros a la izquierda. Su punto inicial viene marcado en la regla. ¿Dónde está la hormiga ahora? Muestra tu trabajo en la regla rota.

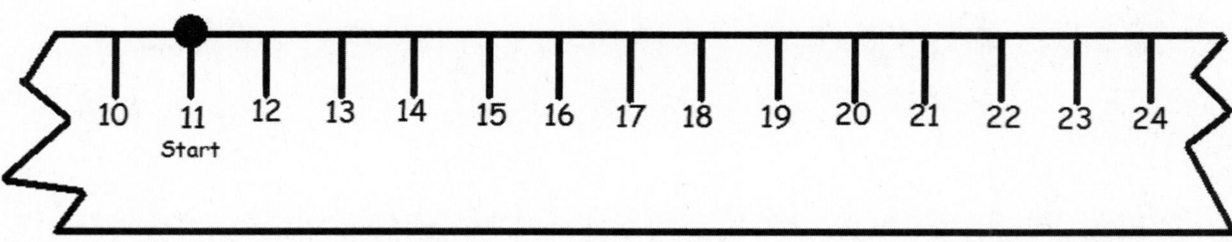
10
11
Start
12
13
14
15
16
17
18
19
20
21
22
23
24

© 2019 Great Minds®. eureka-math.org

3. Todas las partes del siguiente camino son unidades de igual longitud.

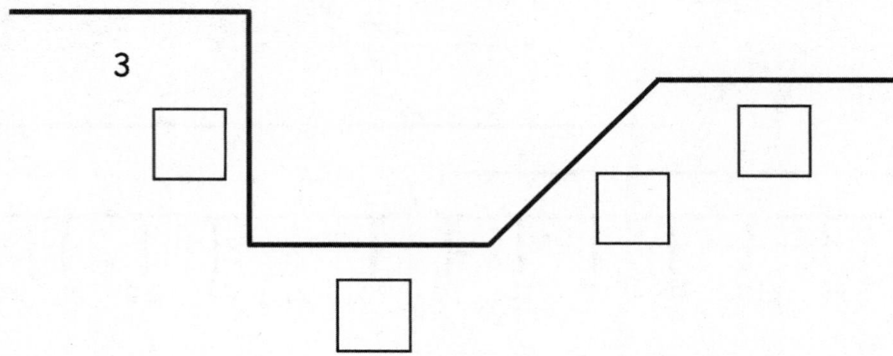
3

   a. Llena los recuadros vacíos con las longitudes de cada lado.

   b. El camino tiene ______ unidades de longitud.

   c. ¿Cuántas partes más necesitarían sumar para que el camino tuviese 21 unidades de longitud?

      ______ partes

4. La longitud de una imagen es de 67 centímetros. El ancho de la imagen es de 40 centímetros. ¿Cuántos centímetros más tiene la longitud que el ancho?

© 2019 Great Minds®. eureka-math.org

1. Tommy completó la siguiente tabla haciendo el estimado de la medida de la circunferencia de tres partes del cuerpo y, luego, encontró la medida real con su cinta métrica.

Parte del cuerpo que midió	Medida estimada en centímetros	Medida real en centímetros
Cuello	25 cm	31 cm
Muñeca	13 cm	17 cm
Cabeza	50 cm	57 cm

¿Cúal es la diferencia entre la medida más larga y la más corta?

__**40**__ cm $57 - 17 = 40$

Dibuja un diagrama de cinta comparando las medidas de la muñeca y del cuello de Tommy.

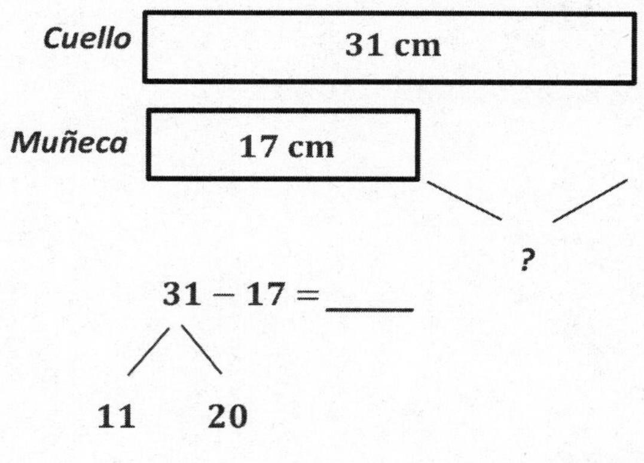
Cuello
31 cm
Muñeca
17 cm
?
31 − 17 = ____
11
20

Puedo dibujar un diagrama de cinta para comparar las medidas. La barra más larga representa la longitud de la circunferencia del cuello de Tommy. La barra más corta representa la longitud de la circunferencia de su muñeca. Debo recordar dibujar la segunda barra inmediatamente abajo de la primera. Debo asegurarme de que se alineen perfectamente para que los puntos iniciales estén en el mismo lugar.

$20 - 17 = 3$

$11 + 3 = 14$

Puedo describir la diferencia escribiendo la expresión $31 - 17$. Luego, puedo dibujar un vínculo numérico y usar la técnica de restarle al diez para resolverlo.

© 2019 Great Minds®. eureka-math.org

2. Mide los dos caminos siguientes con tu regla de un metro y tu hilo.

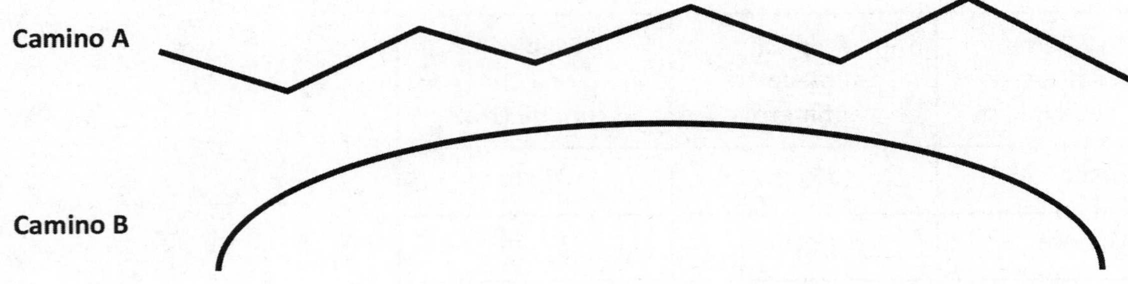
Camino A
Camino B

> Puedo colocar mi hilo a lo largo de cada camino. Luego, puedo colocarlo a lo largo de la regla de un metro para averiguar la longitud real.

El camino A mide **14** cm.

El camino B mide **13** cm.

En conjunto, los caminos A y B miden **27** cm. $14 + 13 = 27$

El camino A es **1** cm (más corto/**(más largo)**) que el camino B. $14 - 13 = 1$

© 2019 Great Minds®. eureka-math.org

Nombre ______________________________ Fecha ______________

1. Mia llenó la tabla primero calculando la medida alrededor de tres objetos en su casa y luego encontrando la medida real con su cinta métrica.

Nombre del objeto	Medida calculada en centímetros	Medida real en centímetros
Naranja	40 cm	36 cm
Mini pelota de baloncesto	30 cm	41 cm
Parte inferior de un frasco de pegamento	10 cm	8 cm

a. ¿Cuál es la diferencia de longitud entre las medidas más largas y las más cortas? ________ cm

b. Traza un diagrama de cinta comparando las medidas de la naranja y la parte inferior del frasco de pegamento.

c. Traza un diagrama de cinta comparando las medidas de la pelota de baloncesto y la parte inferior del frasco de pegamento.

© 2019 Great Minds®. eureka-math.org

2. Mide los dos caminos debajo con tu cinta métrica e hilo.

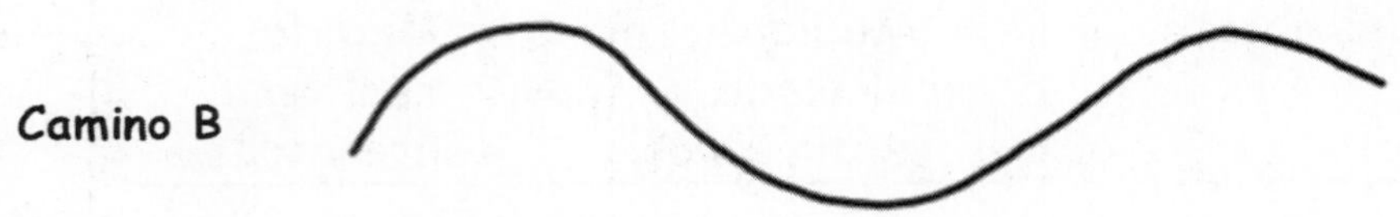
Camino A
Camino B

a. El camino A mide _________ cm.

b. El camino B mide _________ cm.

c. Juntos, los caminos A y B miden _________ cm.

d. El camino A es _________ cm (más largo/ más corto) que el camino B.

3. Shawn y Esteban hicieron un concurso para ver quién podía saltar más lejos. Shawn saltó 75 centímetros. Esteban saltó 9 centímetros más que Shawn.

a. ¿Qué distancia saltó Esteban? _________ centímetros

b. ¿Quién ganó el concurso de salto? _________

c. Traza un diagrama de cinta para comparar las longitudes que saltaron Shawn y Esteban.

© 2019 Great Minds®. eureka-math.org
EUREKA MATH®

Usa el proceso Leer-Dibujar-Escribir (LDE) para resolver. Dibuja un diagrama de cinta para cada paso.

La torre de bloques de Jesse mide 30 cm. La torre de Sarah es 9 cm más corta que la de Jesse. ¿Cuál es la altura total de las dos torres?

Paso 1: Descubrir la altura de la torre de Sarah.

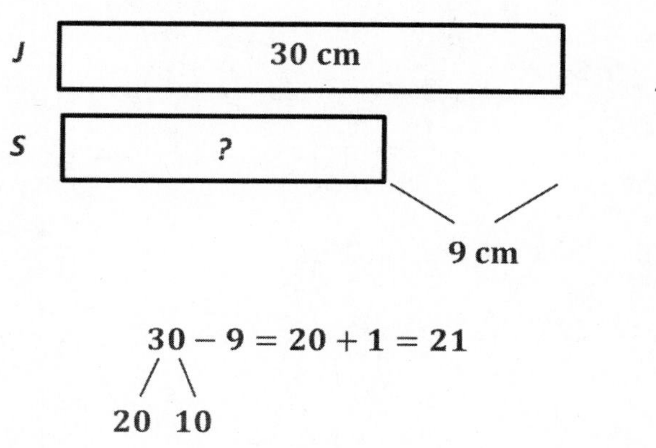
J
30 cm
S
?
9 cm

Puedo dibujar un diagrama de cinta para comparar las torres de Jesse y de Sarah. No sé cuán alta es la torre de Sara, así que puedo etiquetarla con un signo de interrogación. Pero sé que la torre de Sarah es más corta así que puedo dibujar brazos y etiquetar la diferencia como 9 cm. Puedo usar la resta y la estrategia de restarle al diez para encontrar la parte faltante, así que $30 - 9 = 21$.

$30 - 9 = 20 + 1 = 21$

20 10

$10 - 9 = 1$

$20 + 1 = 21$

***La torre de Sarah mide* 21 cm.**

Paso 2: Encontrar el total de ambas torres.

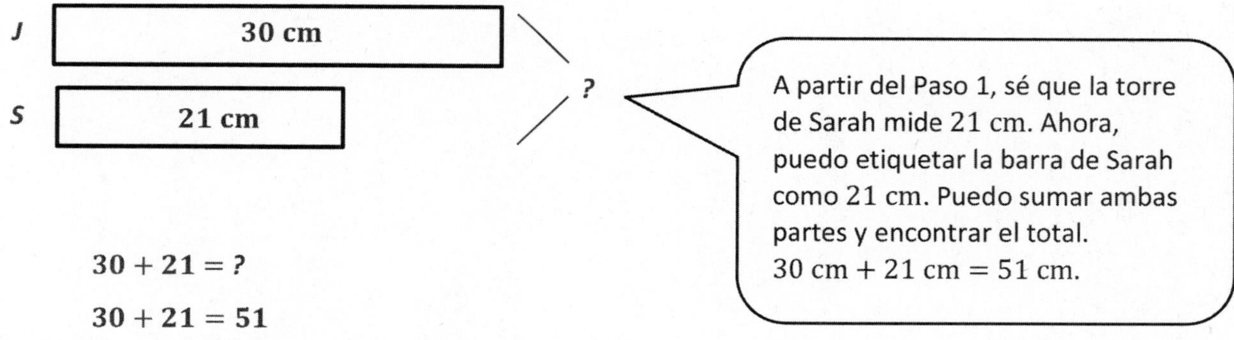
J
30 cm
S
21 cm
?
A partir del Paso 1, sé que la torre de Sarah mide 21 cm. Ahora, puedo etiquetar la barra de Sarah como 21 cm. Puedo sumar ambas partes y encontrar el total.
30 cm + 21 cm = 51 cm.

$30 + 21 = ?$

$30 + 21 = 51$

***La altura total de ambas torres es de* 51 cm.**

© 2019 Great Minds®. eureka-math.org

Nombre ______________________________ Fecha ______________

Usa el proceso LDE para resolver los problemas. Dibuja un diagrama de cinta para cada paso. Ya está iniciado el Problema 1.

1. Hay 29 cm de listón verde. El listón azul es 9 centímetros más corto que el listón verde. ¿Cuál es la longitud del listón azul?

   Paso 1: Encuentra la longitud del listón azul.

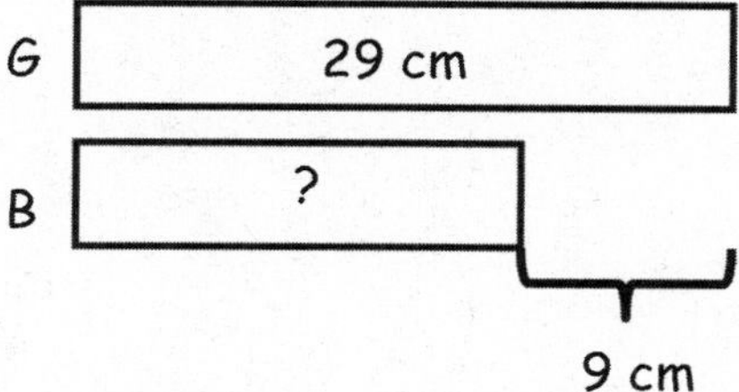
G
29 cm
B
?
9 cm

   Paso 2: Encuentra la longitud de ambos listones, el azul y el verde.

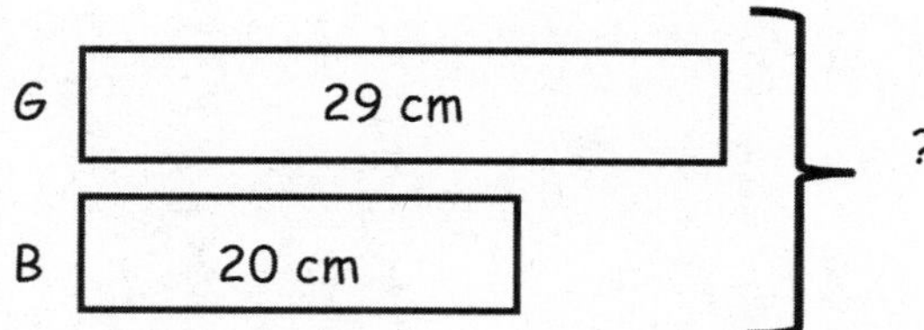
G
29 cm
B
20 cm
?

2. Joanna y Lisa dibujan líneas. La línea de Joanna es de 41 cm de largo. La línea de Alicia es 19 cm más larga que la de Joanna. ¿Cuál es la longitud total de las líneas de Joanna y Lisa?

   Paso 1: Encuentra la longitud de la línea de Lisa.

   Paso 2: Encuentra la longitud total de ambas líneas.

© 2019 Great Minds®. eureka-math.org

2.º grado
Módulo 3

1. Completa la parte que falta.

   a. 3 unidades + __7__ unidades = 10 unidades

   b. 3 + __7__ = 10

   c. 3 decenas + __7__ decenas = 1 centena

   d. 30 + __70__ = 100

> Conozco 3 operaciones que me pueden ayudar a resolver estos problemas:
> $3 + 7 = 10$
> 10 unidades = 1 decena
> 10 decenas = 1 centena

2. Vuelve a escribir los enunciados ordenándolos desde el que tiene las unidades mayores al que tiene las unidades menores.

4 decenas	Mayor	*2 centenas*
2 centenas		*4 decenas*
9 unidades	Menor	*9 unidades*

> Sé que 2 centenas es igual a 200, 4 decenas es igual a 40 y 9 unidades es igual a 9.

3. Cuenta cada grupo. ¿Cuál es la cantidad total de palos en cada grupo?

Grupos de 100

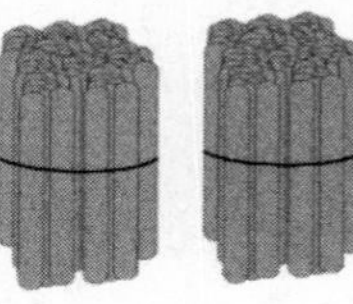

200

Grupos de 10

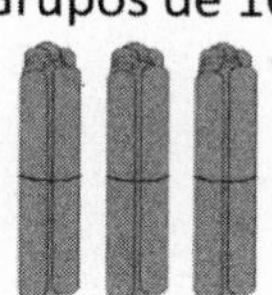

30

Unidades

6

¿Cuál es la cantidad total de palos? __236__

© 2019 Great Minds®. eureka-math.org

4. Dibuja y resuelve.

Moses tiene 100 calcomanías. Jared tiene 80 calcomanías. Jared desea tener la misma cantidad de calcomanías que Moses. ¿Cuántas calcomanías más necesita Jared?

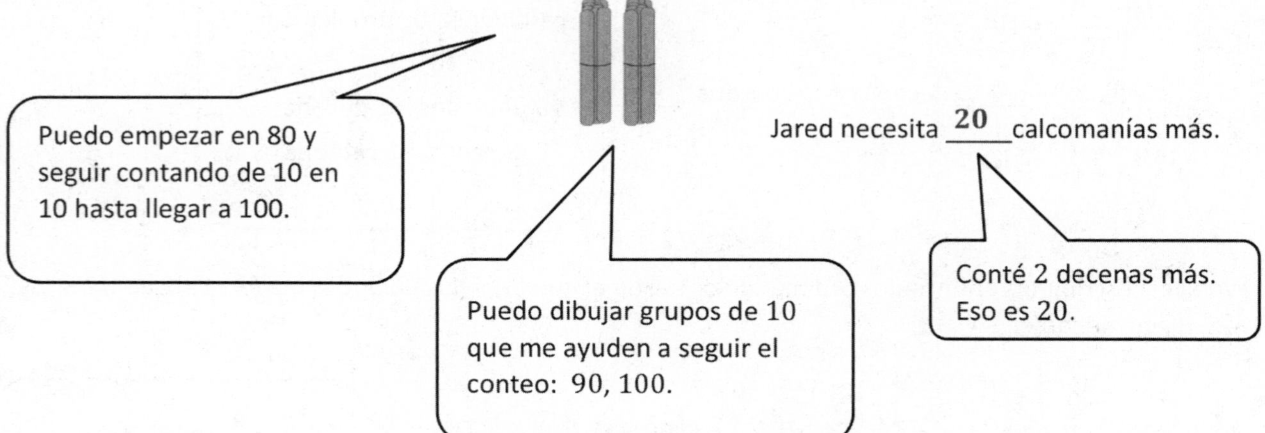
Puedo empezar en 80 y seguir contando de 10 en 10 hasta llegar a 100.
Jared necesita 20 calcomanías más.
Puedo dibujar grupos de 10 que me ayuden a seguir el conteo: 90, 100.
Conté 2 decenas más. Eso es 20.

© 2019 Great Minds®. eureka-math.org

Nombre ______________________________ Fecha ______________

1. 2 unidades + _____ unidades = 10

   2 + _____ = 10

2. 6 decenas + _____ decenas = 1 centena

   60 + _____ = 100

3. Vuelve a escribirlos en orden de mayor a menor.

6 decenas	Más grande ____________________
3 centenas	____________________
8 unidades	Más pequeña ____________________

4. Cuenta cada grupo. ¿Cuál es el número total de palitos en cada grupo?

Grupos de 100

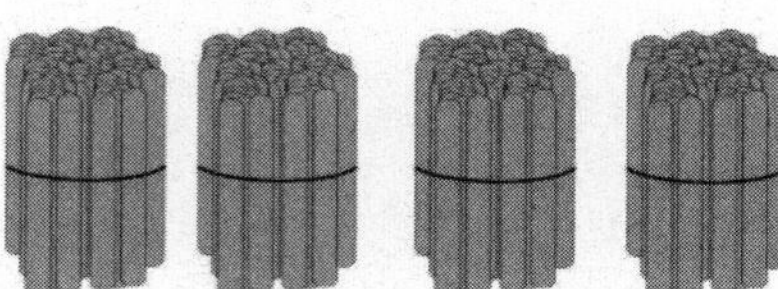

Grupos de 10

Unidades

____________ ____________ ____________

¿Cuál es el número total de palitos? ________

© 2019 Great Minds®. eureka-math.org

5. Dibuja resuelve.

Moisés tiene 100 calcomanías. Jared tiene 60 calcomanías. Jared quiere tener el mismo número de calcomanías que Moisés. ¿Cuántas calcomanías más necesita Jared?

Jared necesita ______ calcomanías más.

© 2019 Great Minds®. eureka-math.org

1. Estos grupos tienen 10 palos cada uno.

   a. ¿Cuántas decenas hay? **11**

   b. ¿Cuántas centenas hay? **1**

   c. ¿Cuántas palos hay en total? **110**

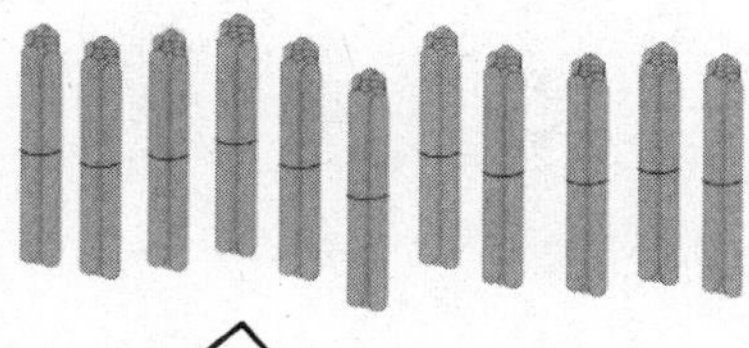

Cuento 11 decenas. Sé que 10 decenas es igual a 1 centena. Puedo contar salteado de diez en diez para ver que hay 110 palos en total.

2. Dean se puso a contar. Observa su trabajo. Explica por qué crees que Dean contó de esta forma.

   128, 129, 130, 140, 150, 160, 170, 180, 181, 182, 183

   Los números de referencia nos permiten contar salteado que es más rápido que contar de uno en uno. Entonces, Dean contó de uno en uno para acercarse todo lo posible al número de referencia, 130. Después, contó salteado de diez en diez hasta 180. Después, contó de uno en uno hasta llegar a 183.

3. Muestra el método de conteo desde 76 hasta 140 usando decenas y unidades. Explica por qué elegiste ese método.

   76, 77, 78, 79, 80, 90, 100, 110, 120, 130, 140

   Conté de uno en uno para aproximarme al número de referencia más cercano después de 76, que es 80. Luego fue fácil contar salteado de diez en diez hasta 140.

© 2019 Great Minds®. eureka-math.org

Nombre ________________________ Fecha ____________

1. ¿Cuántas hay en total?

☆☆ ☆☆ ☆☆ ☆☆

☆☆ ☆☆ ☆☆ ☆☆

☆☆ ☆☆ ☆☆ ☆☆

☆☆ ☆☆ ☆☆ ☆☆

☆☆ ☆☆ ☆☆ ☆☆

_____ unidades = _____ decenas

_____ estrellas en total.

2. Estas son agrupaciones de 10 popotes cada una.

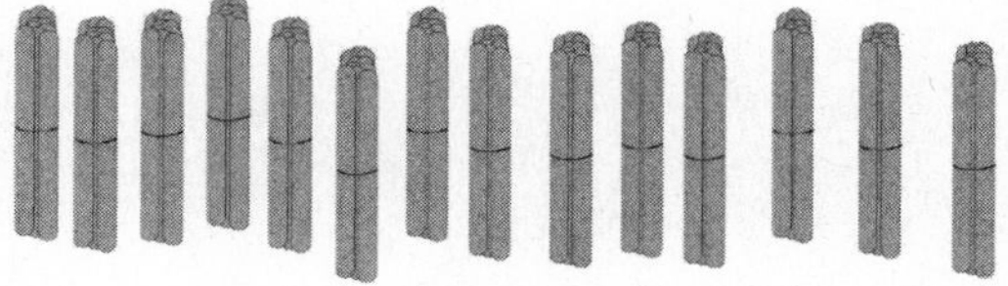

a. ¿Cuántas decenas hay? _____

b. ¿Cuántas centenas? _____

c. ¿Cuántos popotes hay en total?

_____

3. Sally contó. Observa su trabajo. Explica por qué Sally contó de esta manera.

177, 178, 179, 180, 190, 200, 210, 211, 212, 213, 214

© 2019 Great Minds®. eureka-math.org

4. Muestra una manera de contar del 68 al 130 usando decenas y unidades. Explica por qué elegiste contar de esta manera.

5. Dibuja y resuelve.

En su salón de clases, Sally hizo 17 agrupaciones de 10 popotes ¿Cuántas agrupaciones de popotes hizo en total?

© 2019 Great Minds®. eureka-math.org

1. Completa los espacios en blanco para llegar a los números de referencia.

Cuento de uno en uno hasta llegar a 70. Cuento de diez en diez hasta llegar a 100. Cuento de cien en cien hasta llegar a 400 y luego cuento de diez en diez hasta llegar a 420.

66, __67__, __68__, __69__, 70, __80__, __90__, 100, __200__, __300__, 400, __410__, 420

¡Los números de referencia ayudan a contar más rápido y más fácilmente hasta números grandes!

2. Estas son unidades, decenas y centenas. ¿Cuántos palos hay en total?

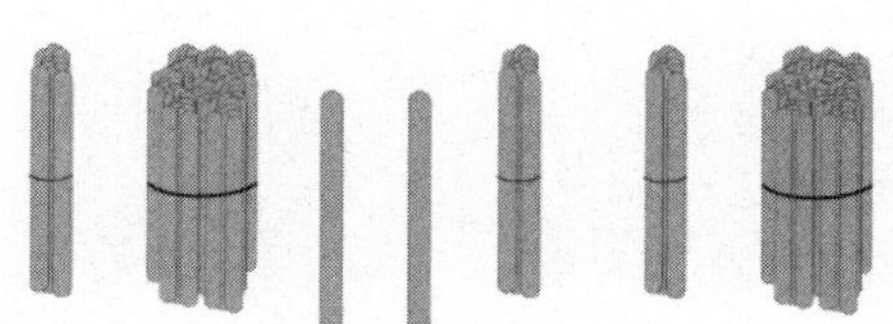

Sé que no importa el orden de estas unidades en la imagen, pero es más fácil empezar con el valor más alto, las centenas.

Esta imagen muestra 2 centenas, 3 decenas y 2 unidades. Puedo contar así:
100, 200, 210, 220, 230, 231, 232.
Entonces hay 232 palos en total.

Hay __232__ palos en total.

3. Muestra un método de conteo desde 457 hasta 700 utilizando unidades, decenas y centenas.

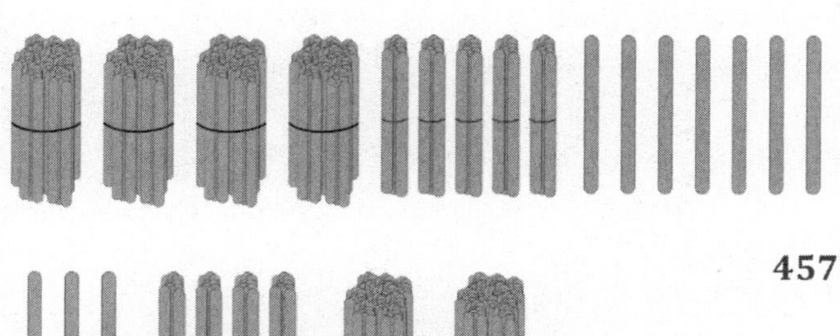

457

Cuento tres unidades más para llegar al número de referencia, 460. A partir de ahí, puedo contar de diez en diez hasta 500. Luego, cuento a partir de ahí, de cien en cien, hasta llegar a 700.

458, 459, 460, 470, 480, 490, 500, 600, 700

Puedo dibujar grupos para mostrar mi conteo o solo escribir los números.

© 2019 Great Minds®. eureka-math.org

Nombre ______________________________ Fecha ______________

1. Llena los espacios en blanco para alcanzar los números de referencia.

a. 14, _____, _____, _____, _____, _____, 20, _____, _____, 50

b. 73, _____, _____, _____, _____, _____, _____, 80, _____, 100, _____, 300, _____, 320

c. 65, _____, _____, _____, _____,70, _____, _____,100

d. 30, _____, _____, _____, _____, _____, _____,100, _____, _____, 400

2. Estas son las unidades, decenas y centenas. ¿Cuántos palitos hay en total?

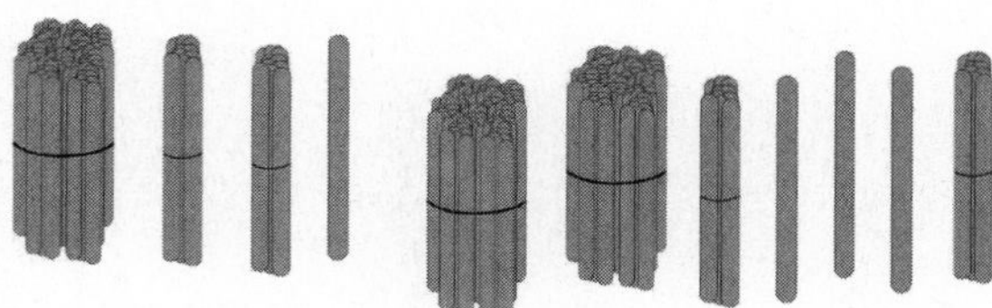

Hay ____________ palitos en total.

3. Muestra una manera de contar del 668 al 900 usando unidades, decenas y centenas.

© 2019 Great Minds®. eureka-math.org

4. Sally agrupó sus palitos en centenas, decenas y unidades.

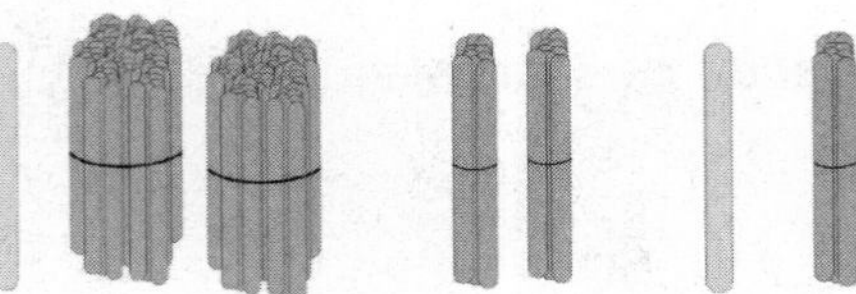

   a. ¿Cuántos palitos tiene Sally? ____________________

   b. Dibuja 3 centenas más y 3 decenas más. Cuenta y escribe cuántos palitos tiene ahora Sally.

© 2019 Great Minds®. eureka-math.org
EUREKA MATH®

1. Pilar usó la tabla de valor posicional para contar los grupos. ¿Cuántos palos tiene en total?

Centenas	Decenas	Unidades

Pilar tiene 135 palos.

Veo 1 centena, 3 decenas y 5 unidades.
Cuento las unidades de esta forma
100, 110, 120, 130, 131, 132, 133, 134, 135.
También puedo contar en forma de unidad,
así, 1 centena 3 decenas 5 unidades.

2. Estas son decenas. Si las juntamos, ¿qué unidad hacemos?

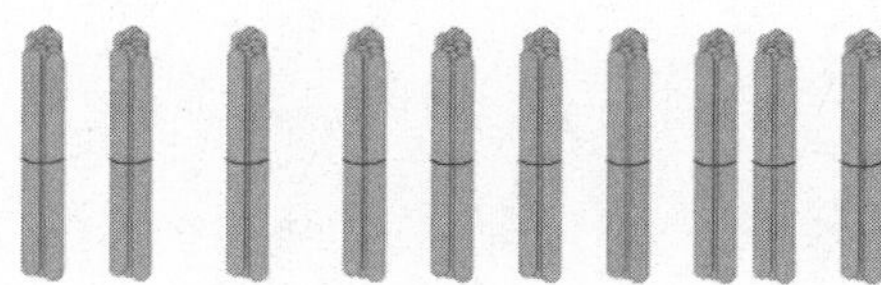

Puedo contar salteado de diez en
diez para ver que 10 decenas es igual
a 1 centena.
10, 20, 30, 40, 50, 60, 70, 80, 90, 100.
Puedo agruparlas para mostrar 100.

a. unidad b. centena c. millar d. decena

3. Imagina 467 en la tabla de valor posicional. ¿Cuántas unidades, decenas y centenas hay en cada posición?

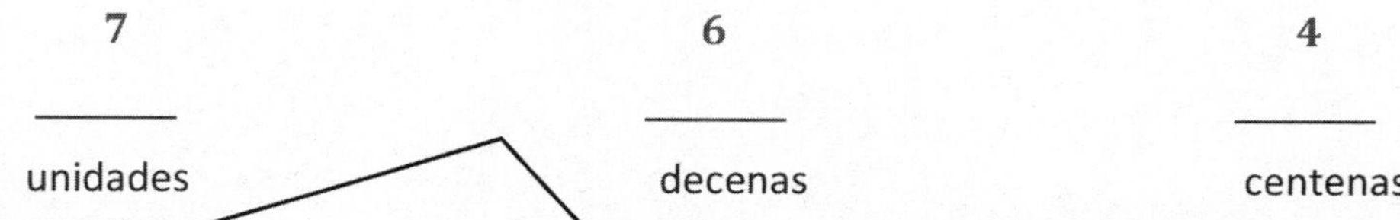

7 unidades 6 decenas 4 centenas

¡Debo prestar atención al orden de las unidades! En la tabla de valor posicional,
el orden sería primero 4 centenas, luego 6 decenas y después 7 unidades.

4. Muestra el método de conteo desde 160 hasta 530 usando decenas y centenas. Encierra en un círculo por lo menos un número de referencia.

160, 170, 180, 190, 200, 300, 400, 500, 510, 520, 530

Conteo salteado de diez en diez para llegar hasta 200. Después, cuento a partir de
ahí, de cien en cien. A partir de 500, cuento de diez en diez para llegar a 530.

© 2019 Great Minds®. eureka-math.org

Nombre ______________________________ Fecha ______________

1. Marco usó la tabla de valor posicional para contar las agrupaciones. ¿Cuántos palitos tiene Marco en total?

Centenas	Decenas	Unidades

Marco tiene __________ palitos.

2. Escribe el número.

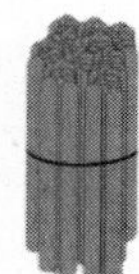

Centenas	Decenas	Unidades

3. Estas son centenas. Si las juntas, ¿qué unidad vas a formar?

a. unidad   b. centena   c. millar   d. decena

© 2019 Great Minds®. eureka-math.org

4. Imagina 585 en la tabla de valor posicional. ¿Cuántas unidades, decenas y centenas hay en cada lugar?

__________ unidades __________ decenas __________ centenas

5. Llena los espacios en blanco con enunciados numéricos verdaderos.

12 unidades = ______ decena ______ unidades

6. Muestra una manera para contar del 170 al 410 usando decenas y centenas. Encierra en un círculo al menos 1 número de referencia.

7. Los estudiantes de la Sra. Sullivan están recogiendo latas para reciclar. Frederick recogió 20 latas, Danielle recogió 9 latas y Mina y Charlie recogieron 100 latas cada uno. ¿Cuántas latas recogieron los estudiantes?

© 2019 Great Minds®. eureka-math.org

1. ¿Cuál es el valor de 5 en | 8 | 5 | 9 | ? **50**

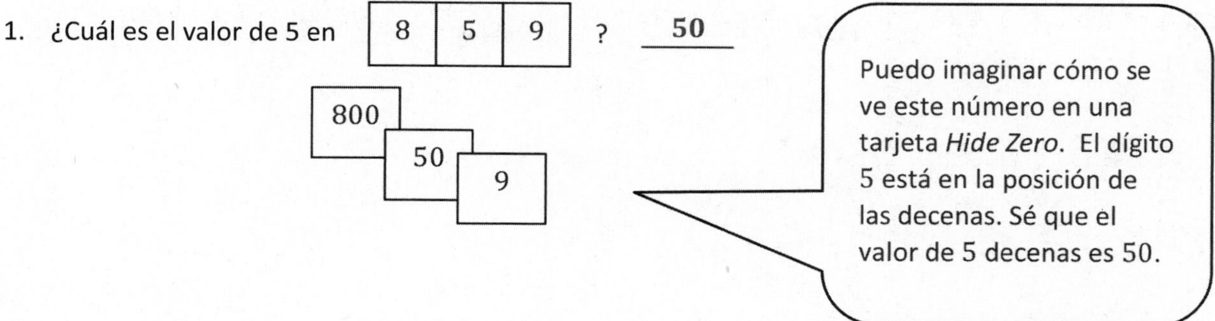
8
5
9
50
800
50
9
Puedo imaginar cómo se ve este número en una tarjeta *Hide Zero*. El dígito 5 está en la posición de las decenas. Sé que el valor de 5 decenas es 50.

2. Haz un vínculo numérico para mostrar las centenas, decenas y unidades en el número. Luego, escribe el número en forma de unidad.

718

7 centenas 1 decena 8 unidades

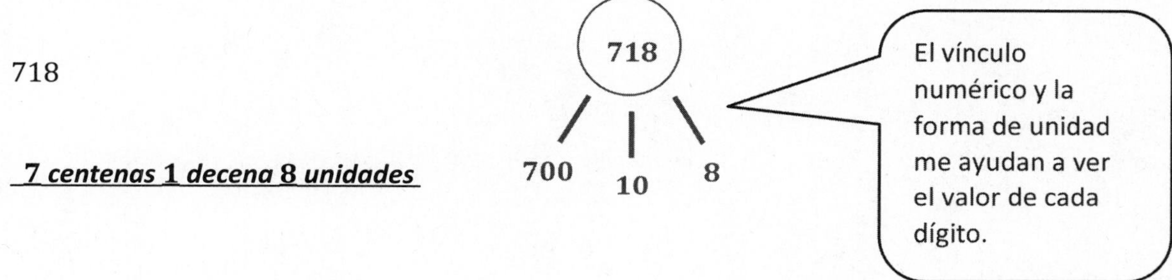
718
700
10
8
El vínculo numérico y la forma de unidad me ayudan a ver el valor de cada dígito.

3. Traza una recta para emparejar la forma de unidad con la forma numérica.

a. 4 centenas 1 decena =

b. 4 decenas 1 unidad =

c. 4 cententas 1 unidad =

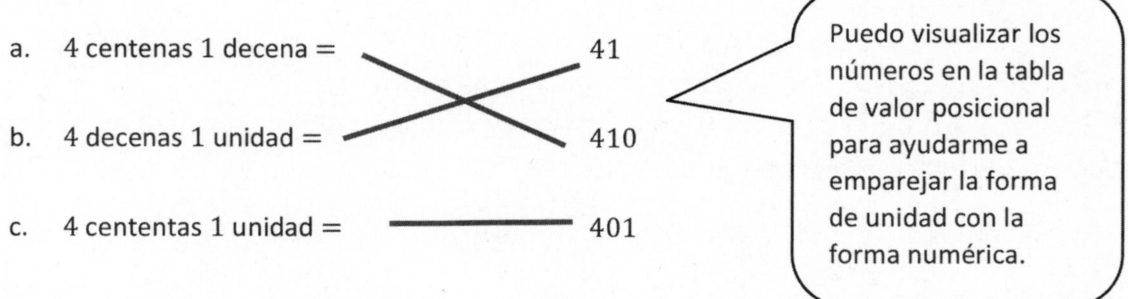
41
410
401
Puedo visualizar los números en la tabla de valor posicional para ayudarme a emparejar la forma de unidad con la forma numérica.

© 2019 Great Minds®. eureka-math.org

1. Empareja los números con sus nombres.

   a. 216 — doscientos sesenta

   b. 260 — doscientos dieciséis

Debo pensar en el valor de cada dígito. 216 tiene 2 centenas 1 decena 6 unidades y eso es doscientos dieciséis. 260 tiene 2 centenas 6 decenas y eso es doscientos sesenta.

2. Escribe la respuesta en forma numérica.

   a. $1 + 1 + 1 + 10 + 10 + 100 + 100 + 100 + 100 =$ **423**

   b. **187** $= 7 + 100 + 80$

   c. **320** $= 300 + 20$

Este problema de suma nos dice el valor total de cada unidad. La forma desarrollada no está en orden. Cuando escribo el número debo hacerlo con atención y escribirlo con las unidades en orden de mayor a menor.

Cuando sumo el valor total de cada unidad, tengo $3 + 20 + 400$. Eso es igual a $400 + 20 + 3$ porque sé que puedo escribir las unidades en cualquier orden y el total no cambia. Entonces la respuesta es 423.

3. Escribe cada número en forma desarrollada.

   a. $26 =$ **20 + 6**

   b. $720 =$ **700 + 20**

   c. $403 =$ **400 + 3**

Escribir los números como enunciados de suma donde las partes representan el valor total de cada unidad, me ayuda a ver el valor de cada posición.

Cuando hay un cero en una de las unidades, no escribo el 0 en la forma desarrollada.

© 2019 Great Minds®. eureka-math.org

Nombre ________________________________ Fecha ______________

1. Asocia los números a los nombres.

a.	Doscientos treinta	▪ 14
b.	Cuarenta	▪ 913
c.	Novecientos sesenta	▪ 470
d.	Cuatrocientos setenta	▪ 916
e.	Ochocientos cincuenta	▪ 519
f.	Quinientos diecinueve	▪ 815
g.	Cuatrocientos diecisiete	▪ 213
h.	Catorce	▪ 40
i.	Novecientos trece	▪ 230
j.	Ochocientos quince	▪ 960
k.	Quinientos noventa	▪ 417
l.	Doscientos trece	▪ 850
m.	Novecientos dieciséis	▪ 590

© 2019 Great Minds®. eureka-math.org

2. Escribe la respuesta en forma numérica.

a. 1 + 1 + 1 + 1 + 10 + 10 + 10 + 10 + 100 + 100 = ____________

b. 300 + 90 + 9 = ____________

c. ____________ = 5 + 100 + 20

d. ____________ = 600 + 50

e. 3 + 400 = ____________

f. 900 + 76 = ____________

3. Escribe cada número en forma expandida.

a. 533 = ______________________________

b. 355 = ______________________________

c. 67 = ______________________________

d. 460 = ______________________________

e. 801 = ______________________________

EUREKA MATH

© 2019 Great Minds®. eureka-math.org

1. Estos grupos son centenas, decenas y unidades. Escribe en la forma estándar, en la forma desarrollada y en la forma escrita, cada número que aparece.

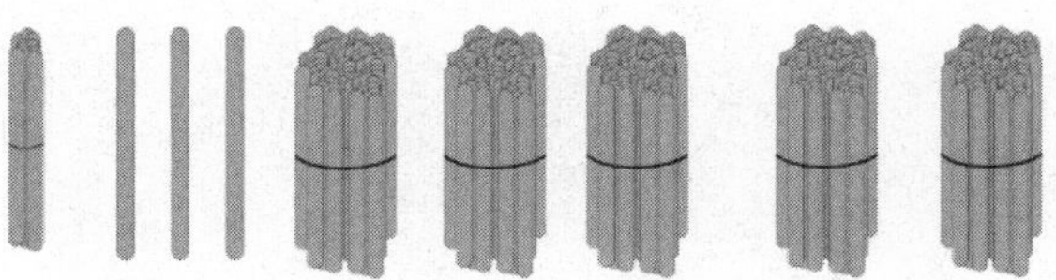

El orden de las unidades no cambia el total, entonces el número en la forma estándar es 513.

a. Forma estándar **513**

b. Forma desarrollada **500 + 10 + 3**

c. Forma escrita ***Quinientos trece***

El dígito 6 está en la posición de las decenas. Sé que el valor de 6 decenas es 60.

2. ¿Cuál es el valor de la unidad de 6 en 261? **60**

Todos los números usan los dígitos 1 y 4 pero en diferentes posiciones. Usar lo que sé sobre valor posicional me ayuda a resolverlo.

3. Escribe 141, 114, 411, en orden de mayor a menor.

411 **141** **114**

La centena es la mayor unidad, entonces un número con 4 centenas es mayor que un número con 1 centena.

141 le sigue porque tiene más decenas en la posición de las decenas que 114.

También puedo razonarlo así: 141 tiene 14 decenas, pero 114 tiene solo 11 decenas.

© 2019 Great Minds®. eureka-math.org

Nombre ______________________________ Fecha ______________

Estas son agrupaciones de centenas, decenas y unidades. Escribe la forma estándar, la forma expandida y la forma escrita para cada número que se muestran.

1. 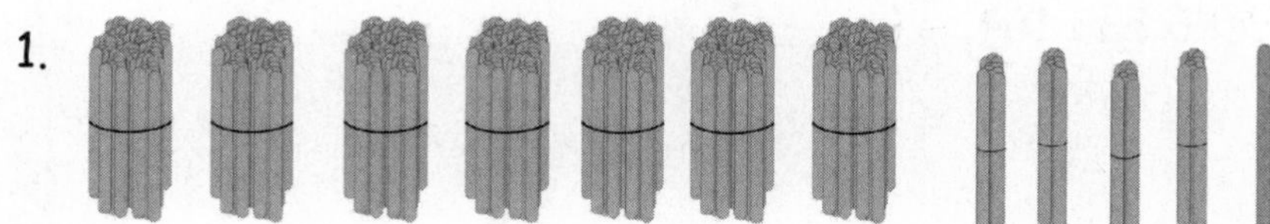

a. Forma estándar ______________________________

b. Forma expandida ______________________________

c. Forma escrita ______________________________

2. 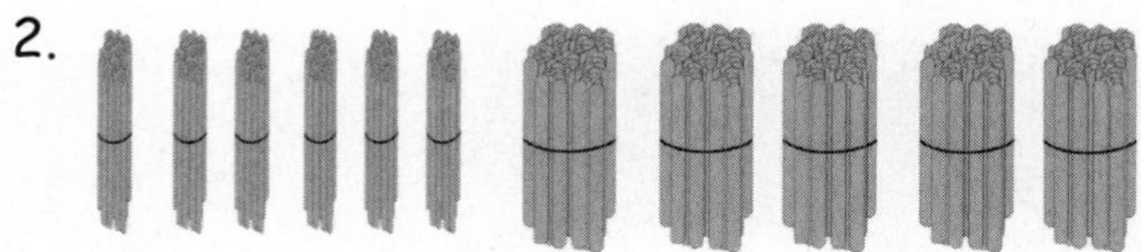

a. Forma estándar ______________________________

b. Forma expandida ______________________________

c. Forma escrita ______________________________

© 2019 Great Minds®. eureka-math.org

3. ¿Cuál es el valor de la unidad del 3 en 432? ____________________

4. ¿Cuál es el valor de la unidad del 6 en 216? ____________________

5. Escribe 212, 221, 122 en orden de mayor a menor.

____________ ____________ ____________

© 2019 Great Minds®. eureka-math.org

1. Escribe el valor total del dinero.

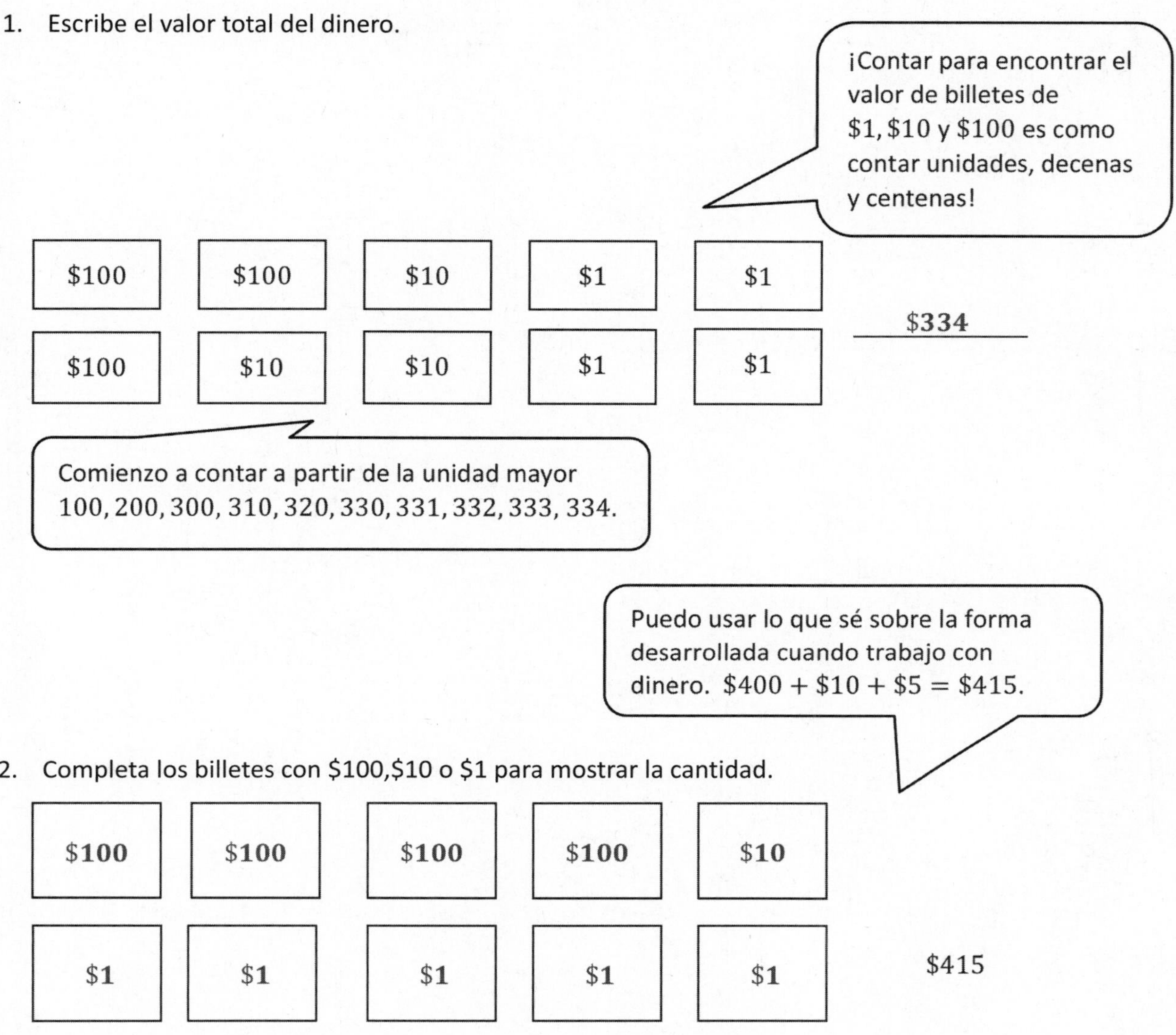
¡Contar para encontrar el valor de billetes de $1, $10 y $100 es como contar unidades, decenas y centenas!
$100
$100
$10
$1
$1
$334
$100
$10
$10
$1
$1
Comienzo a contar a partir de la unidad mayor 100, 200, 300, 310, 320, 330, 331, 332, 333, 334.
Puedo usar lo que sé sobre la forma desarrollada cuando trabajo con dinero. $400 + $10 + $5 = $415.

2. Completa los billetes con $100,$10 o $1 para mostrar la cantidad.

$100	$100	$100	$100	$10	
$1	$1	$1	$1	$1	$415

3. Dibuja y resuelve.

Jill tiene 5 billetes de diez dólares y 3 billetes de un dólar. Ben tiene 2 billetes menos de diez dólares y 1 billete menos de un dólar que Jill. ¿Cuál es el valor del dinero de Ben?

$10 $10 $10 $10 $10

$1 $1 $1

Ben tiene $32.

Puedo dibujar los billetes de Jill y luego tachar los que tiene Ben. Después cuento lo que queda 10, 20, 30, 31, 32.

© 2019 Great Minds®. eureka-math.org

Nombre ______________________ Fecha ____________

1. Escribe el valor total del dinero.

$10	$10	$10	$10	$10	
$10	$10	$10	$10	$1	________

$100	$100	$10	$1	$1	
$1	$1	$1	$1	$1	________

2. Llena los billetes con $100, $10 o $1 para mostrar la cantidad.

					$172

					$226

© 2019 Great Minds®. eureka-math.org

3. Dibuja y resuelve.

Brandon tiene 7 billetes de diez dólares y 8 billetes de un dólar. Joshua tiene 3 billetes de diez dólares menos y 4 billetes de un dólar menos que Brandon. ¿Cuál es el valor del dinero de Joshua?

© 2019 Great Minds®. eureka-math.org

1. Muestra un método de conteo desde $67 hasta $317.

$67, 77, 87, 97, 107, 117, 217, 317$

Contar dinero es como contar números, por lo que puedo dejar afuera el símbolo de dólar y simplemente contar salteado de diez en diez para llegar a 117. Luego, cuento salteado de cien en cien para llegar a 317.

2. Utiliza cada recta numérica para mostrar un método diferente de conteo desde $280 hasta $523.

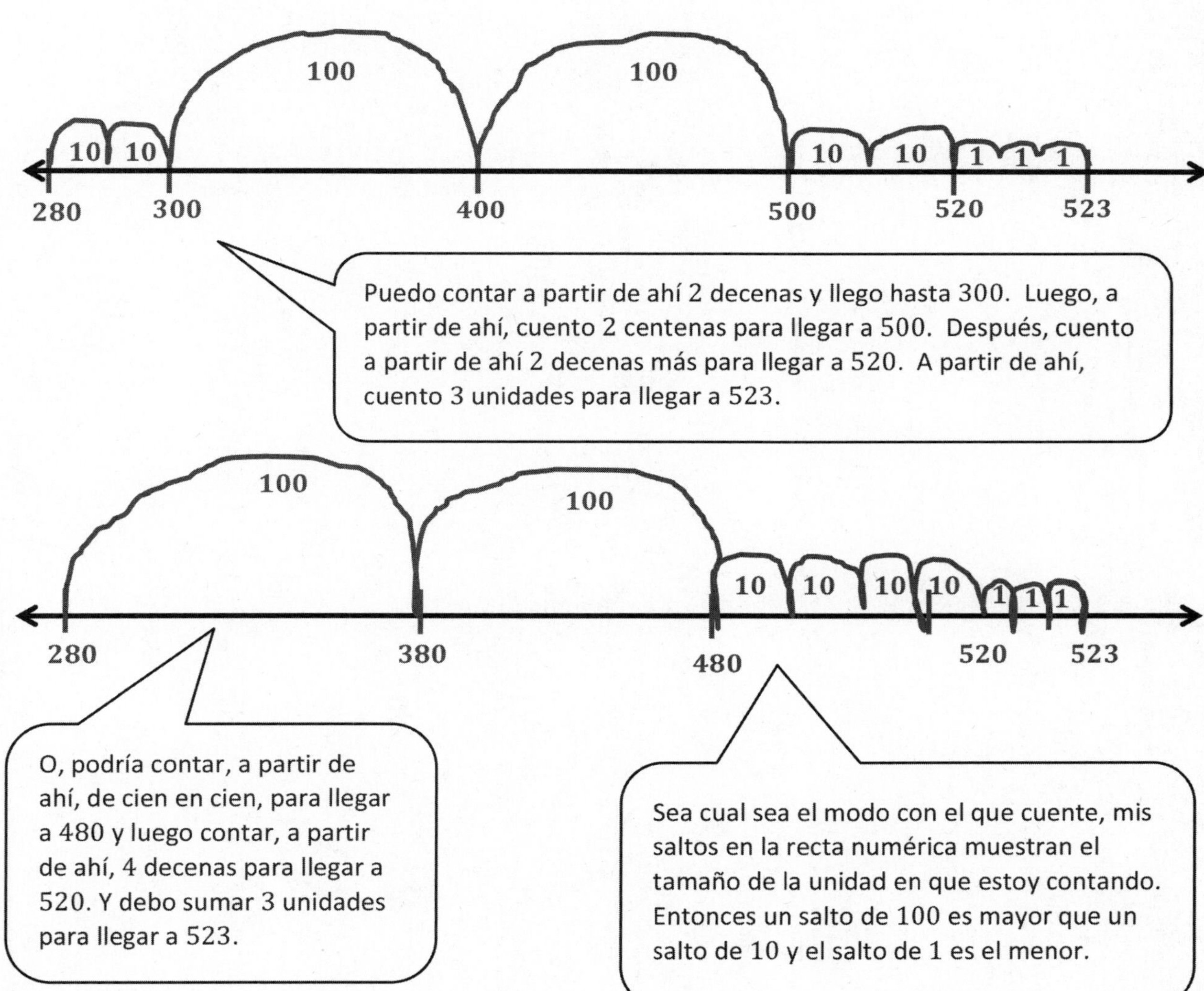

100
100
10
10
10
10
1
1
1
280
300
400
500
520
523
Puedo contar a partir de ahí 2 decenas y llego hasta 300. Luego, a partir de ahí, cuento 2 centenas para llegar a 500. Después, cuento a partir de ahí 2 decenas más para llegar a 520. A partir de ahí, cuento 3 unidades para llegar a 523.
100
100
10
10
10
10
1
1
1
280
380
480
520
523
O, podría contar, a partir de ahí, de cien en cien, para llegar a 480 y luego contar, a partir de ahí, 4 decenas para llegar a 520. Y debo sumar 3 unidades para llegar a 523.
Sea cual sea el modo con el que cuente, mis saltos en la recta numérica muestran el tamaño de la unidad en que estoy contando. Entonces un salto de 100 es mayor que un salto de 10 y el salto de 1 es el menor.

© 2019 Great Minds®. eureka-math.org

Nombre ______________________ Fecha ____________

1. Escribe la cantidad total de dinero que se muestra en cada grupo.

a.

$100	$100
$100	$100
$100	$100
$100	$100
$100	$100

b.

$10	$10
$10	$10
$10	$10
$10	$10
$10	$10

c.

$1	$1
$1	$1
$1	$1
$1	$1
$1	$1

d.

$10	$100
$10	$100
$10	$100
$100	$1
$100	$1

__________ __________ __________ __________

2. Muestra una forma de contar desde $82 hasta $512.

© 2019 Great Minds®. eureka-math.org

3. Usa cada recta numérica para mostrar una forma diferente de contar desde $580 hasta $994.

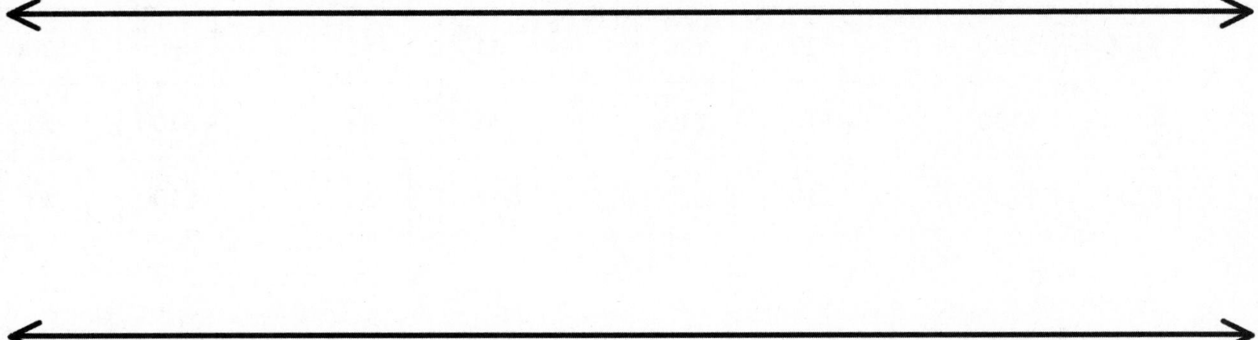

4. Dibuja y resuelve.
   Julia quiere una bicicleta que cuesta $75. Necesita ahorrar $25 para tener suficiente dinero para comprarla. ¿Cuánto dinero tiene ya Julia?

   Julia ya tiene $__________.

© 2019 Great Minds®. eureka-math.org

¿Cuántos billetes de $10 equivalen a $500?

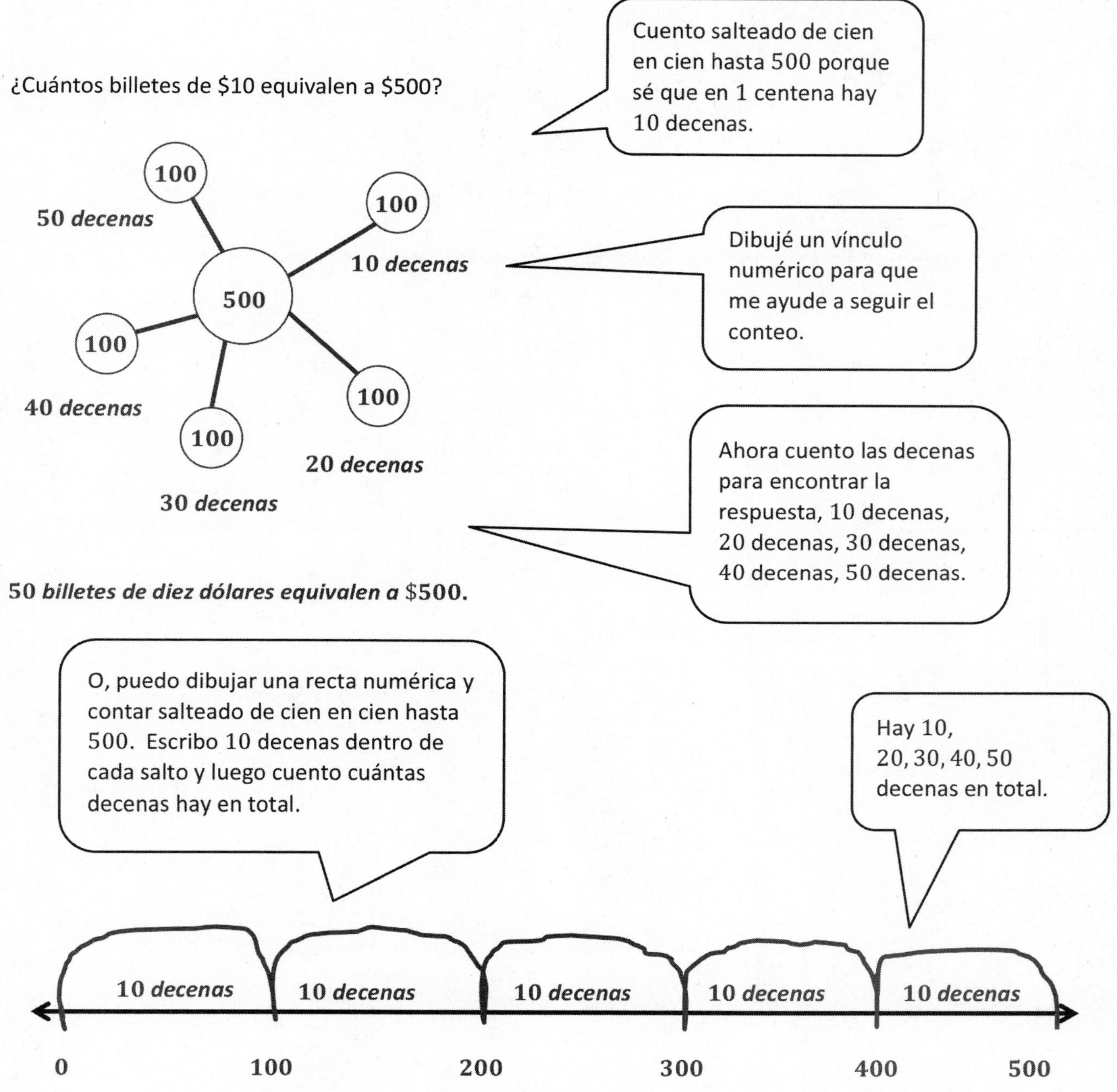
Cuento salteado de cien en cien hasta 500 porque sé que en 1 centena hay 10 decenas.
100
100
500
100
100
100
50 *decenas*
10 *decenas*
40 *decenas*
20 *decenas*
30 *decenas*
Dibujé un vínculo numérico para que me ayude a seguir el conteo.
Ahora cuento las decenas para encontrar la respuesta, 10 decenas, 20 decenas, 30 decenas, 40 decenas, 50 decenas.
50 *billetes de diez dólares equivalen a* $500.
O, puedo dibujar una recta numérica y contar salteado de cien en cien hasta 500. Escribo 10 decenas dentro de cada salto y luego cuento cuántas decenas hay en total.
Hay 10, 20, 30, 40, 50 decenas en total.
10 *decenas*
10 *decenas*
10 *decenas*
10 *decenas*
10 *decenas*
0
100
200
300
400
500

© 2019 Great Minds®. eureka-math.org

Nombre ______________________________ Fecha ______________

Jerry se pregunta "¿Cuántos billetes de $10 equivalen a un billete de $1,000?"

Piensa en las estrategias que usaron tus amigos para responder la pregunta de Jerry. Responde el problema de nuevo usando una estrategia diferente de la que usaste con tu compañero y para el Boleto de salida. Explica tu solución usando palabras, dibujos o números. Recuerda escribir tu respuesta en una afirmación.

© 2019 Great Minds®. eureka-math.org

Los estudiantes usan discos de valor posicional para representar el valor de cada dígito en un número dado. Se proporciona una plantilla para ayudar a los estudiantes a completar la tarea.

Representa los siguientes números para mostrarle a tu padre o madre, usando la menor cantidad posible de discos. Susurra los números en la forma estándar y en la forma de unidad.

a. 12

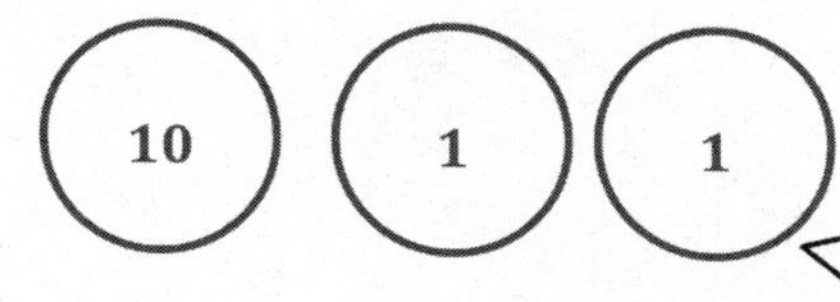
10
1
1

Podría mostrar 12 discos de una unidad pero para usar la menor cantidad de discos, muestro 1 decena y 2 unidades.

En la forma estándar, digo 12. En la forma de unidad digo 1 decena 2 unidades.

b. 123

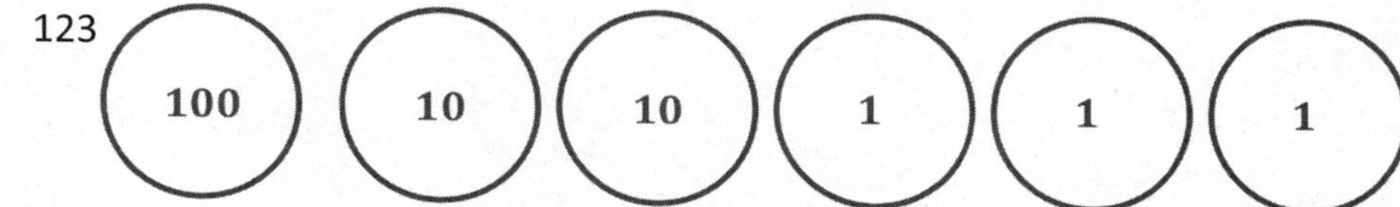
100
10
10
1
1
1

En la forma estándar, digo 123. En la forma de unidad, digo 1 centena 2 decenas 3 unidades.

Podría mostrar 12 discos de una decena y 3 discos de una unidad, pero para usar la menor cantidad de discos, muestro 1 centena, 2 decenas 3 unidades.

c. 103

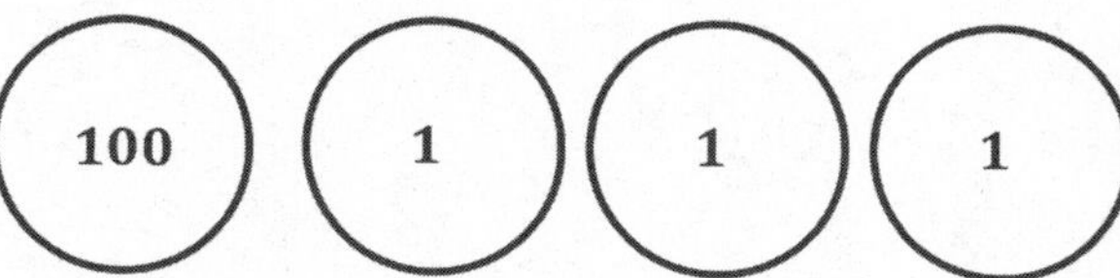
100
1
1
1

En la forma estándar, digo 103. En la forma de unidad, digo 1 centena 3 unidades.

d. 330

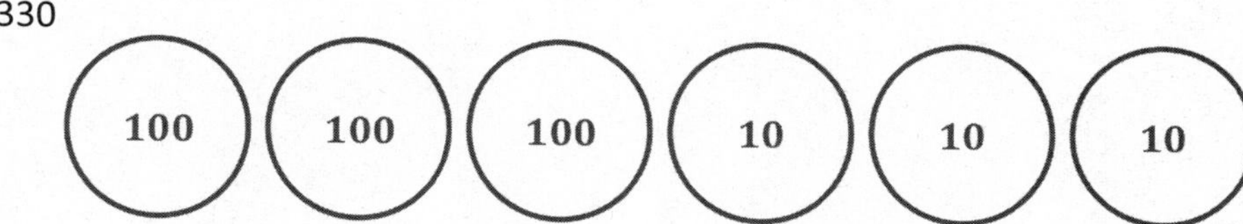
100
100
100
10
10
10

En la forma estándar, digo 330. En la forma de unidad, digo 3 centenas 3 decenas.

© 2019 Great Minds®. eureka-math.org

Nombre ______________________ Fecha ____________

1. Representa los siguientes números para tu papá o mamá usando la menor cantidad posible de discos. Di en voz baja los números en forma estándar y en forma de unidades (1 centena 3 decenas 4 unidades).

   a. 15

   b. 152

   c. 102

   d. 290

   e. 300

2. Representa los siguientes números usando la menor cantidad posible de discos de valor posicional. Di en voz baja los números en forma estándar y en forma de unidades.

   a. 42

   b. 420

   c. 320

   d. 402

   e. 442

   f. 53

   g. 530

   h. 520

   i. 503

   j. 55

© 2019 Great Minds®. eureka-math.org

tabla de valor posicional de centenas vacía

© 2019 Great Minds®. eureka-math.org

Los estudiantes completan esta tabla mientras trabajan con discos de valor posicional.

Cuenta desde 582 hasta 700 usando discos de valor posicional. Cambia a una unidad mayor cuando sea necesario.

Cuando contaste desde 582 hasta 700:

¿Hiciste una unidad mayor en...	Sí, cambié para hacer:	No, necesito________
1. 590?	1 decena 1 centena	___ unidades. ___ decenas.
2. 600?	1 decena 1centena	___unidades. ___decenas.
3. 618?	1 decena 1 centena	2 unidades. ___ decena.
4. 640?	1 decena 1 centena	___ unidades. ___ decenas.
5. 652?	1 decena 1 centena	8 unidades. ___ decenas.
6. 700?	1 decena 1 centena	___ unidades. ___ decenas.

Cuando sumo 8 unidades a 582, hago la próxima decena. Ahora estoy en 590.

Al contar a partir de 590, cuando sumo 10 unidades más, hago diez que también significa que hago una nueva cententa 600.

Debo sumar 2 unidades más para hacer un nuevo diez y llegar a 620.

Hago un nuevo diez cuando llego a 630 y uno más cuando llego a 640.

Debo sumar 8 unidades más para hacer un nuevo diez y llegar a 660.

Al contar a partir de 690, cuando sumo 10 unidades más, hago diez que también significa que hago una nueva centena, 700.

© 2019 Great Minds®. eureka-math.org

Nombre ______________________ Fecha ____________

Cuenta en unidades desde **368 hasta 500**. Cambia la unidad más grande cuando sea necesario.

Cuando contaste desde **368 hasta 500**:

¿Formaste una unidad más grande en...?	**Sí,** Las cambie para formar:	**No,** Necesito _______
1. 377?	1 decena 1 centena	___ unidades. ___ decenas.
2. 392?	1 decena 1 centena	___ unidades. ___ decenas.
3. 400?	1 decena 1 centena	___ unidades. ___ decenas.
4. 418?	1 decena 1 centena	___ unidades. ___ decenas.
5. 463?	1 decena 1 centena	___ unidades. ___ decenas.
6. 470?	1 decena 1 centena	___ unidades. ___ decenas.

© 2019 Great Minds®. eureka-math.org

Dibuja discos de valor posicional para mostrar los números.

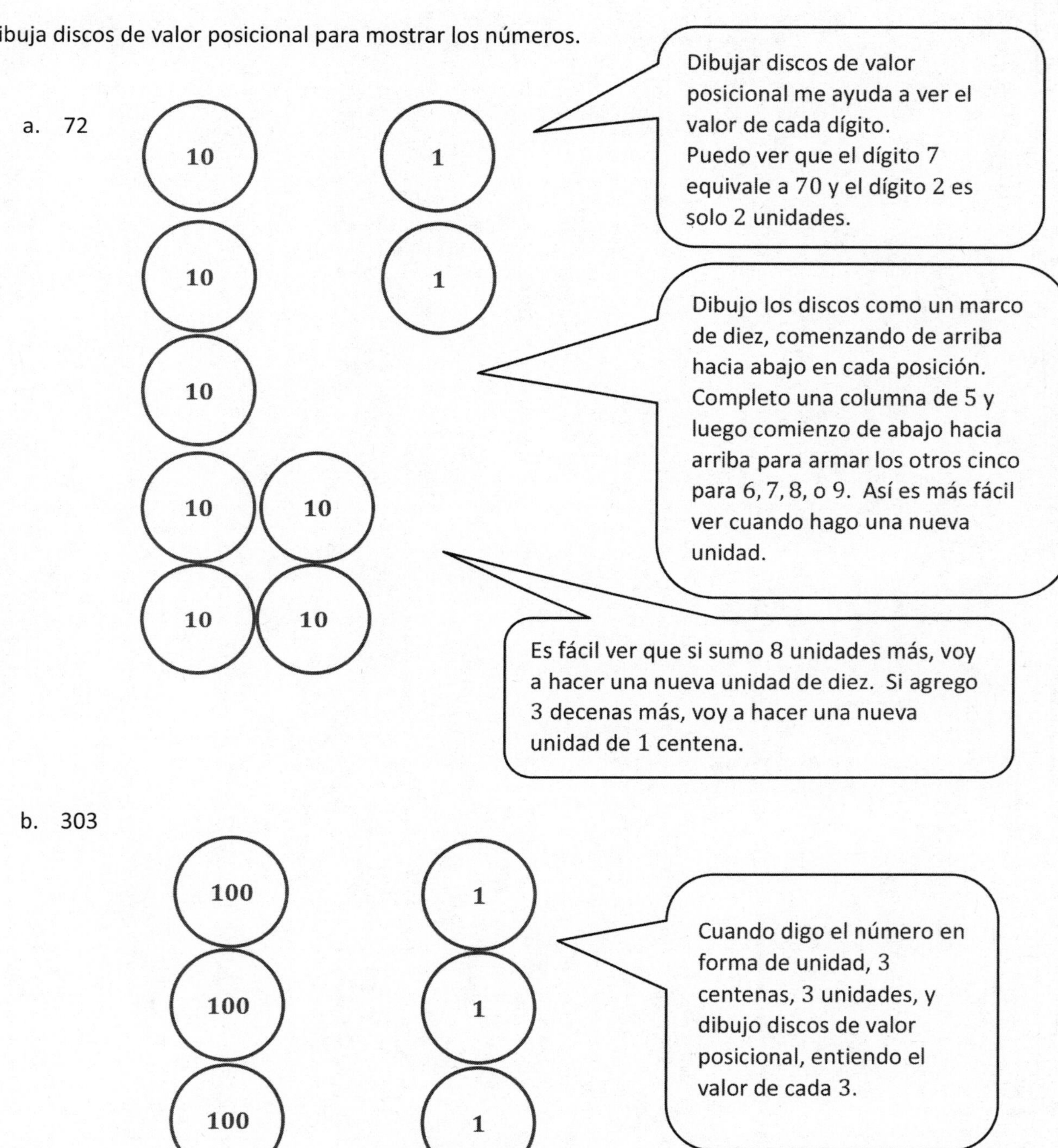
a. 72
10
10
10
10
10
10
10
1
1
Dibujar discos de valor posicional me ayuda a ver el valor de cada dígito. Puedo ver que el dígito 7 equivale a 70 y el dígito 2 es solo 2 unidades.
Dibujo los discos como un marco de diez, comenzando de arriba hacia abajo en cada posición. Completo una columna de 5 y luego comienzo de abajo hacia arriba para armar los otros cinco para 6, 7, 8, o 9. Así es más fácil ver cuando hago una nueva unidad.
Es fácil ver que si sumo 8 unidades más, voy a hacer una nueva unidad de diez. Si agrego 3 decenas más, voy a hacer una nueva unidad de 1 centena.
b. 303
100
100
100
1
1
1
Cuando digo el número en forma de unidad, 3 centenas, 3 unidades, y dibujo discos de valor posicional, entiendo el valor de cada 3.

© 2019 Great Minds®. eureka-math.org

Nombre ______________________________ Fecha ______________

Dibuja discos de valor posicional para mostrar los números.

1. 43

2. 430

3. 270

4. 720

5. 702

6. 936

Cuando hayas terminado, lee en voz baja cada número en forma de unidades y escrita.
¿Cuánto debe cambiar cada número por una decena?
¿Por una centena?

© 2019 Great Minds®. eureka-math.org

1. Di los números y las palabras susurrando mientras que completas los espacios en blanco.

   a. 18 = ______ centenas __1__ decena __8__ unidades

   18 = __18__ unidades

   Sé que 18 es 1 decena 8 unidades. Puedo cambiar 1 decena por 10 unidades y tener 10 unidades y 8 unidades que es 18 unidades.

   b. 315 = __3__ centenas __1__ decena __5__ unidades

   315 = __3__ centenas __15__ unidades

   Puedo decir que 315 es 3 centenas 1 decena 5 unidades. Como sé que 1 decena 5 unidades es igual a 15 unidades, también puedo decir que 315 es 3 centenas 15 unidades.

   c. 419 = __4__ centenas __1__ decena __9__ unidades

   419 = __41__ decenas __9__ unidades

   Sé que 10 decenas hacen 100, entonces hay 40 decenas en 400. Luego, agrego otra decena, entonces hay 41 decenas. Las unidades no cambian.

   d. 570 = __5__ centenas __7__ decenas

   570 = __57__ decenas

   El Problema (c) me ayuda a resolver este. Yo sé que hay 40 decenas en 400, entonces en 500 hay 50 decenas. ¡50 decenas más 7 decenas es igual a 57 decenas!

2. Escribe cómo puedes contar salteado de diez en diez desde 420 hasta 310. Podrías usar discos de valor posicional, rectas numéricas, grupos o números.

   420, 410, 400, 390, 380, 370, 360, 350, 340, 330, 320, 310

   ¡Es fácil! ¡Puedo simplemente contar hacia atrás de diez en diez!

© 2019 Great Minds®. eureka-math.org

Nombre ______________________ Fecha __________

1. Di en voz baja los números y palabras mientras llenas los espacios en blanco.

a. 16 = _______ decenas _______ unidades

16 = _______ unidades

b. 217 = _______ centenas _______ decenas _______ unidades

217 = _______ centenas _______ unidades

c. 320 = _______ centenas _______ decenas _______ unidades

320 = _______ decenas _______ unidades

d. 139 = _______ centenas _______ decenas _______ unidades

139 = _______ decenas _______ unidades

e. 473 = _______ centenas _______ decenas _______ unidades

473 = _______ decenas _______ unidades

f. 680 = _______ centenas _______ decenas

680 = _______ decenas

g. 817 = _______ centenas _______ unidades

817 = _______ decenas _______ unidades

© 2019 Great Minds®. eureka-math.org

h. 921 = _______ centenas _______ unidades

921 = _______ decenas _______ unidades

2. Escribe una forma en la que pueden contar en serie por decenas del 350 al 240. Puedes usar discos de valor posicional, rectas numéricas, agrupaciones o números.

© 2019 Great Minds®. eureka-math.org

Los estudiantes siguen los pasos del proceso Leer, Dibujar, Escribir (LDE) para resolver problemas escritos: lee el problema, dibuja e identifica una representación a partir de la información recibida; escribe una ecuación para resolver; escribe un enunciado de la respuesta a la pregunta.

Como hay 10 lápices en cada caja puedo contar salteado de diez en diez. Puedo dibujar grupos de diez para representar las cajas mientras cuento hasta 130.

Los lápices vienen en cajas de 10.

a. ¿Cuántas cajas debe comprar Kadyn si necesita 136 lápices?

13 *cajas*

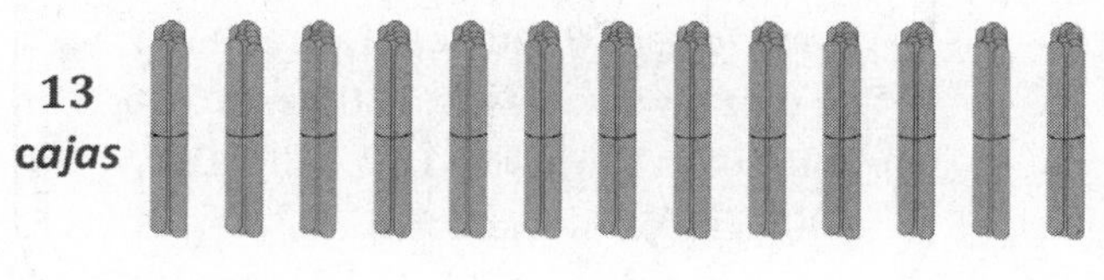

1 *caja*

$$13 + 1 = 14$$

Kadyn debería comprar 14 cajas.

Debo dibujar otra caja porque Kadyn necesita 6 más que 130.

O, podría usar lo que he aprendido de la forma de unidad. Hay 13 decenas 6 unidades en 136, entonces necesito 13 cajas para tener 130 lápices, más 1 caja más para los 6 lápices adicionales.

b. ¿Cuántos lápices le quedarán a Kadyn después de tomar los que necesita de las cajas?

$$10 - 6 = 4$$

A Kadyn le quedarán 4 lápices.

Kadyn usará los 130 lápices de las primeras 13 cajas. Luego, tendrá que tomar 6 lápices de la última caja de diez. Eso significa que le quedarán 4 lápices.

© 2019 Great Minds®. eureka-math.org

c. ¿Cuántos lápices más necesitará para tener 200?

140, 150, 160, 70, 180, 190, 200

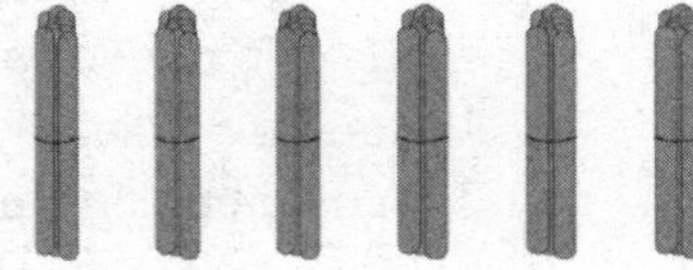

Kadyn necesita 60 más.

> Debo ser cuidadoso y prestar atención a lo que están preguntando. En la primera parte de este problema, estaba resolviendo *cajas*. Esta vez, estoy resolviendo con otra unidad, ¡son *lápices*! Puedo contar salteado de diez en diez desde 140 hasta 200. Entonces, 150, 160, 170, 180, 190, 200. Eso es 6 decenas o 60.

© 2019 Great Minds®. eureka-math.org

Nombre nevaeh Fecha ____________

Los lápices vienen en cajas de 10.

1. ¿Cuántas cajas debe comprar Erika si necesita 127 lápices?

2. ¿Cuántos lápices le quedarán a Erika después de que saque los que necesita de las cajas?

3. ¿Cuántos lápices más necesita para tener 200 lápices?

© 2019 Great Minds®. eureka-math.org

La comparación es más fácil cuando dibujo los números con los discos de valor posicional en la tabla de valor posicional.

1. Dibuja los siguientes números usando discos de valor posicional en las tablas de valor posicional. Responde las siguientes preguntas.

   a. 132　　　b. 312　　　c. 213

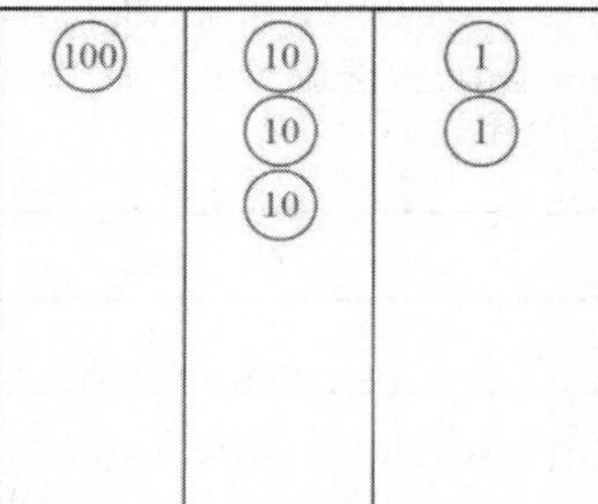
100
10
10
10
1
1

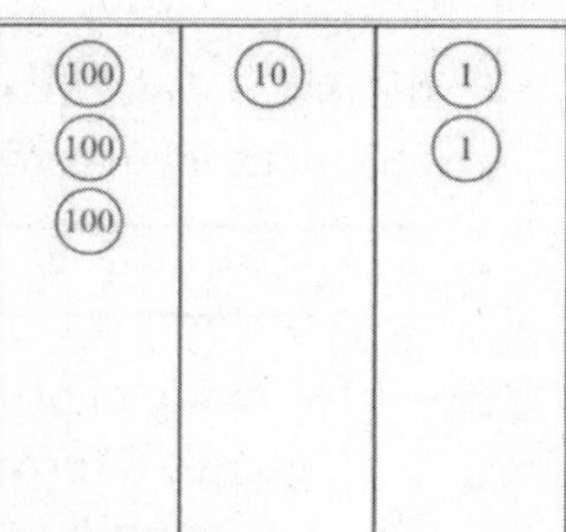
100
100
100
10
1
1

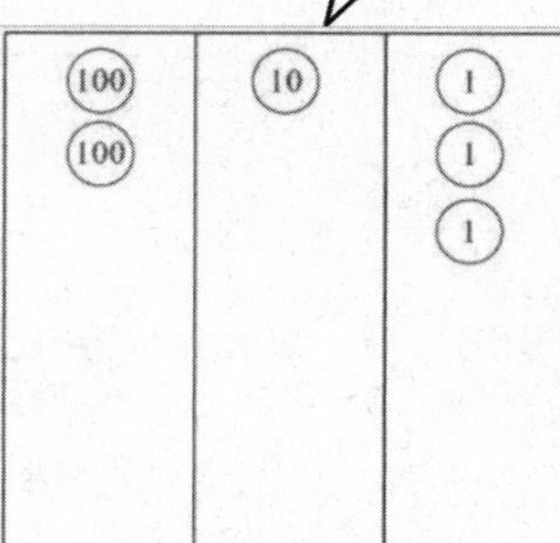
100
100
10
1
1
1

   d. Ordena los números del menor al mayor: 132, 213, 312

Aquí la centena es la unidad mayor y 312 tiene más centenas que otros números. 132 es el número más pequeño porque solo tiene 1 centena.

También podrías comparar todas las decenas en cada número. 132 tiene 13 decenas, 213 tiene 21 decenas y 312 tiene 31 decenas.

2. Encierra en un círculo *menor que o mayor que*.

   Susurra el enunciado completo.

b.	$300 + 60 + 5$ es menor que / mayor que 635.
c.	4 decenas y 2 unidades es menor que / mayor que 24.

$300 + 60 + 5 = 365$. 365 es menor que 635 porque solo tiene 3 centenas. 635 tiene 6 centenas. También podría razonarlo como 36 decenas es menor que 63 decenas.

En este problema, la decena es la unidad mayor. 4 decenas y 2 unidades es igual a 42. 42 es mayor que 24 porque tiene 4 decenas y 24 solo tiene 2 decenas. También podría razonarlo como 40 es mayor que 20.

© 2019 Great Minds®. eureka-math.org

3. Escribe >, <, o =. Susurra los enunciados numéricos completos mientras que trabajas.

a.  419 (<) 491

El valor posicional me ayuda a comparar los números, sobre todo cuando los dígitos son todos iguales. Ambos números tienen 4 centenas, entonces debo tener cuidado y observar qué dígito está en el lugar de las decenas. 1 decena es menor que 9 decenas, entonces 419 es menor que 491.

b. 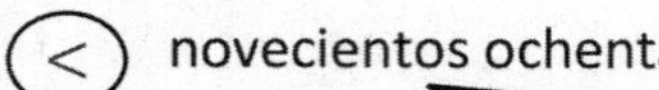 908 (<) novecientos ochenta

980

Cuando el problema está expresado en formato escrito o formato de unidad, debo simplemente volver a escribirlo en formato estándar. Así será más fácil ver los dígitos en sus lugares. 908 es menor que 980. Las centenas son las mismas, pero 0 decenas es menor que 8 decenas.

c. 4 decenas 2 unidades 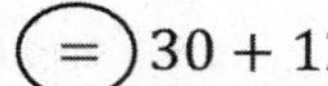 (=) $30 + 12$

42

4 decenas 2 unidades es igual a 42 y $30 + 12 = 42$. ¡Es fácil! 42 es igual a 42.

d.  $36 - 10$ (>) 2 decenas 5 unidades

25

$36 - 10 = 26$. 2 decenas 5 unidades es igual a 25. 26 es mayor que 25.

© 2019 Great Minds®. eureka-math.org

Nombre ______________________________ Fecha ______________

1. Dibuja los siguientes números usando los discos de valor posicional en las tablas de valor posicional. Responde las siguientes preguntas.

a. 241 b. 412 c. 124

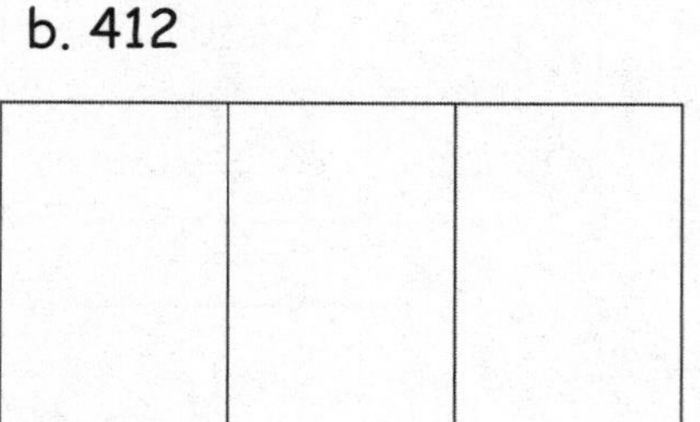

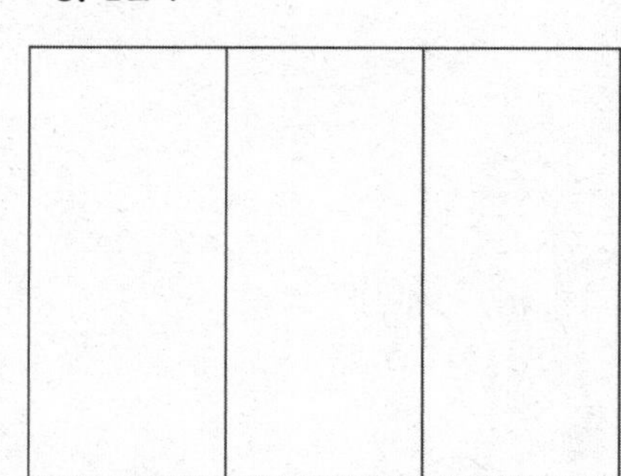

d. Ordena los números de menor a mayor: ________, ________, ________

2. Encierra en un círculo *menor que* o *mayor que*. Di en voz baja la afirmación completa.

a. 112 es menor que / mayor que 135.	d. 475 es menor que / mayor que 457.
b. 152 es menor que / mayor que 157.	e. 300 + 60 + 5 es menor que / mayor que 635.
c. 214 es menor que / mayor que 204.	f. 4 decenas y 2 unidades es menor que / mayor que 24.

3. Escribe >, <, o =.

a. 100 ◯ 99

b. 316 ◯ 361

c. 523 ◯ 525

d. 602 ◯ seiscientos dos

e. 150 ◯ 90 + 50

f. 9 decenas 6 unidades ◯ 92

g. 6 decenas 8 unidades ◯ 50 + 18

h. 84 - 10 ◯ 7 decenas 5 unidades

© 2019 Great Minds®. eureka-math.org

¡Debo leer con atención! En la Parte (a), primero van las unidades y luego las decenas pero cuando se colocan en la tabla de valor posicional, las centenas van primero.

Cuando cuento susurrando mientras que dibujo, veo que estoy comparando 112 y 115. 112 es menor que 115.

1. Cuenta susurrando mientras que muestras los números con discos de valor posicional. Encierra en un círculo >,<, o =.

a. Dibuja 12 unidades y 1 centena.

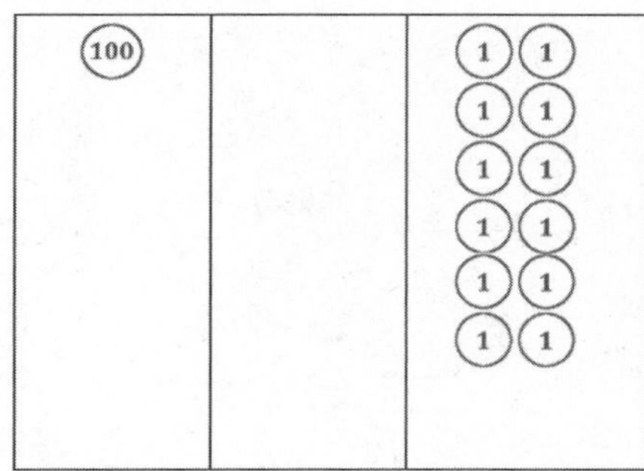
100
1 1
1 1
1 1
1 1
1 1
1 1

(<) = >

b. Dibuja 11 decenas y 5 unidades.

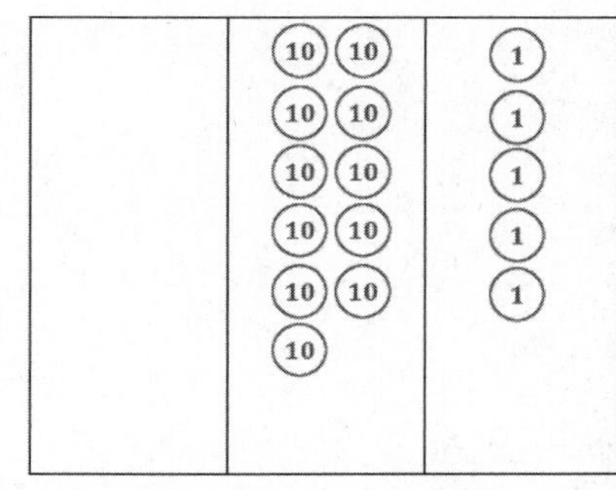
10 10
10 10
10 10
10 10
10 10
10
1
1
1
1
1

2. Escribe <, > o =.

a. $40 + 9 + 600$ (=) 9 unidades 64 decenas

649 **649**

Vuelvo a escribir este problema en formato estándar y miro con atención el orden de las unidades. $40 + 9 + 600 = 649$ y 9 unidades 64 decenas = 649. ¡Son iguales!

b. 65 decenas – 13 decenas (>) 52

Ya sé que 52 debe ser menor porque no hay centeneas en 52. 65 decenas – 13 decenas es igual a 52 decenas que es 520.

c. 3 centenas 27 unidades (<) 84 decenas

Sé que 27 unidades es igual a 2 decenas 7 unidades, entonces 3 centenas 2 decenas 7 unidades es 327. Sé que 84 decenas es 840. Si comparo las centenas sé que 327 es menor que 840.

© 2019 Great Minds®. eureka-math.org

Nombre ______________________________ Fecha ______________

1. Cuenta en voz baja mientras muestras los números con discos de valor posicional. Encierra en un círculo >, <, o =.

a. Dibuja 13 unidades y 2 centenas.

<

=

>

b. Dibuja 12 decenas y 8 unidades.

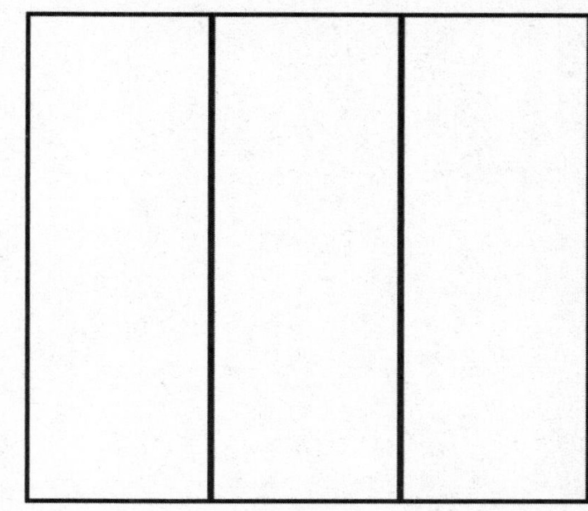

2. Escribe >, <, o =.

a. 199 ◯ 10 decenas

b. 236 ◯ 23 decenas 5 unidades

c. 21 decenas ◯ doscientos veinte

d. 380 ◯ 3 centenas 8 decenas

e. 20 + 4 + 500 ◯ 2 unidades 45 decenas

f. 600 + 7 ◯ 76 decenas

g. 400 + 2 + 50 ◯ 524

h. 59 decenas + 2 decenas ◯ 610

i. 506 ◯ 50 decenas

j. 97 decenas - 12 decenas ◯ 85

k. 67 decenas + 10 decenas ◯ 7 centenas 7 unidades

l. 8 centenas 13 unidades ◯ 75 decenas

© 2019 Great Minds®. eureka-math.org

Podría dibujar estos números de muchas formas diferentes, pero quiero ser eficiente. Cuando dibujo de esta forma, también es mucho más fácil comparar los números.

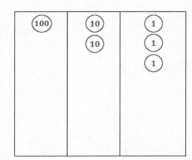

1. Dibuja los siguientes valores en las tablas de valor posicional, de la forma que te parezca mejor.

a. 123

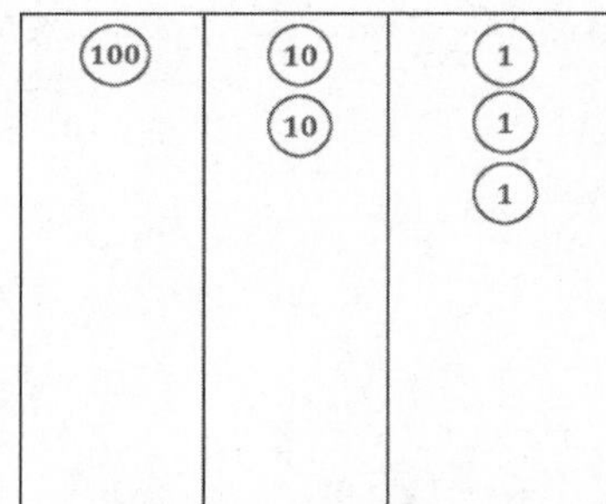
100
10
10
1
1
1

b. 321

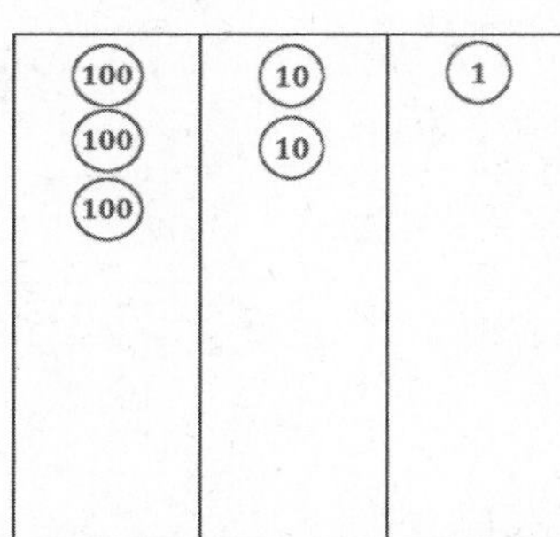
100
100
100
10
10
1

c. 231

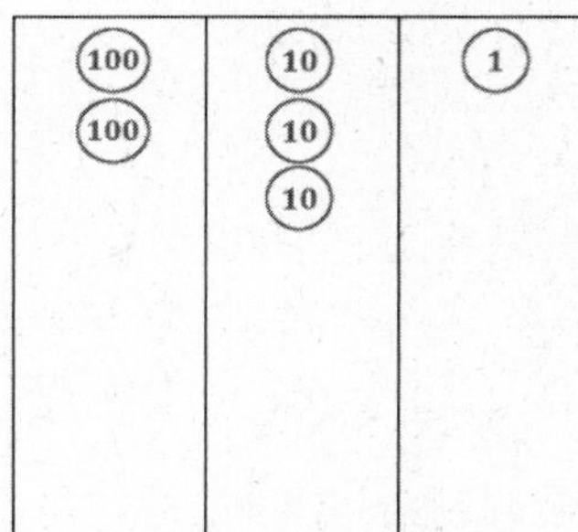
100
100
10
10
10
1

d. Ordena los números de menor a mayor: **123**, **231**, **321**

Puedo ver que 123 es el que tiene menos centenas, por lo cual es el número menor. 321 es el que tiene más centenas, lo que significa que es el número mayor. Y 231 está en el medio.

2. Ordena los números de menor a mayor en la forma estándar.

Trescientos setenta 317 30 decenas 7 unidades **307**, **317**, **370**

370 **307**

Escribir los números en formato estándar me ayuda a ver el valor. Veo que estoy comparando 370, 317, y 307.

Dado que las centenas son iguales, comparo las decenas.

3. Ordena los números de mayor a menor en la forma estándar.

¡Cuidado! Esta vez, el orden es de mayor a menor.

4 unidades 6 centenas 46 decenas + 10 decenas 640 **640**, **604**, **560**

604 **56 *decenas***

© 2019 Great Minds®. eureka-math.org

Nombre ______________________________ Fecha ______________

1. Dibuja los siguientes valores en las tablas de valor posicional como consideres mejor.

a. 241

b. 412

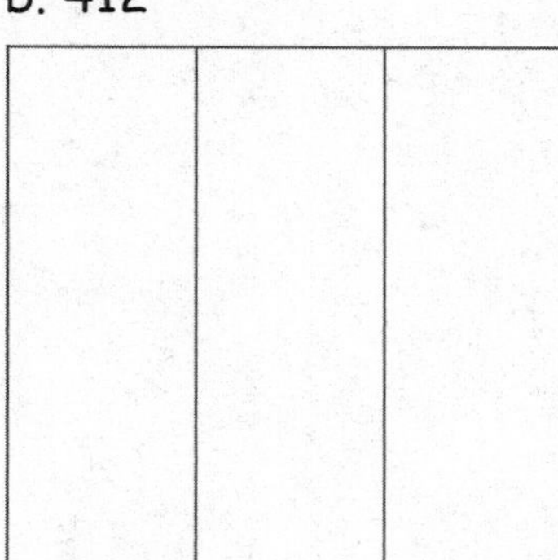

c. 124

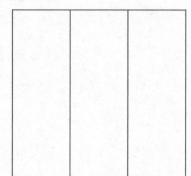

d. Ordena los números de menor a mayor: _______, _______, _______

2. Ordena los siguientes números de menor a mayor en forma estándar.

a. 537 263 912 _______, _______, _______

b. doscientos treinta 213 20 decenas 3 unidades _______, _______, _______

c. 400 + 80 + 5 4 + 800 + 50 845 _______, _______, _______

3. Ordena los siguientes números de mayor a menor en forma estándar.

a. 11 unidades 3 centenas 311 10 + 1 + 300 _______, _______, _______

b. 7 unidades 9 centenas 79 decenas + 10 decenas 970 _______, _______, _______

c. 15 unidades 4 centenas 154 50 + 1 + 400 _______, _______, _______

© 2019 Great Minds®. eureka-math.org

1. Completa la tabla. Susurra el enunciado completo: "___ más/menos que ___ es ___."

Puedo susurrar el enunciado numérico completo mientras lleno la tabla.

100 más que 242 es 342.

100 menos que 242 es 142.

10 más que 242 es 252.

10 menos que 242 es 232.

1 más que 242 es 243.

1 menos que 242 es 241.

	242	153
100 más	**342**	**253**
100 menos	**142**	**53**
10 más	**252**	**163**
10 menos	**232**	**143**
1 más	**243**	**154**
1 menos	**241**	**152**

2. Completa los espacios en blanco. Susurra el enunciado completo.

a. 1 más que 456 es **457**.

1 más que 6 es 7, entonces 1 más que 456 es 457.

b. **100** más que 180 es 280.

El lugar de las centenas ahora es 100 más.

c. 10 menos que **635** es 625.

¿625 es 10 menos que cuál número? El número que estoy buscando es 10 más que 625, entonces debe ser 635.

© 2019 Great Minds®. eureka-math.org

Nombre ______________________ Fecha ______________

1. Llena la tabla. Di en voz baja el enunciado: " ___ más/menos que ___ son ___ ".

	146	235	357	481	672	814
100 más que						
100 menos que						
10 más que						
10 menos que						
1 más que						
1 menos que						

2. Llena los espacios en blanco. Di en voz baja el enunciado completo.

a. 1 más que 103 son ________.

b. 10 más que 378 son ________.

c. 100 menos que 545 son ________.

d. ________ más que 123 son 223.

e. ________ menos que 987 son 977.

f. ________ menos que 422 son 421.

g. 1 más que ________ son 619.

h. 10 menos que ________ son 546.

i. 100 menos que ________ son 818.

j. 10 más que ________ son 974

© 2019 Great Minds®. eureka-math.org

1. Completa los espacios en blanco. Susurra el enunciado completo.

1 menos que 240 es **239**.

10 más que 194 es **204**.

1 menos que 40 es 39, entonces 1 menos que 240 es 239.

10 más que 94 es 104, entonces 10 más que 194 es 204.

Puedo ver qué cambió. 239 cambió a 240. 240 es 1 más que 239.

497 cambió a 507. 507 es 10 más que 497.

1 más que 239 es 240.

10 más que 497 es 507.

10 más que **292** es 302.

Puedo pensar ¿302 es 10 más que cuál número? Entonces el número que estoy buscando es 10 menos que 302. Eso es 292.

2. Susurra los números a medida que cuentas.

Puedo contar de 1 en 1, de 10 en 10 y de 100 en 100.

a. Cuenta de 1 en 1, desde 396 hasta 402. **396, 397, 398, 399, 400, 401, 402**

b. Cuenta de 10 en 10, desde 396 hasta 456. **396, 406, 416, 426, 436, 446, 456**

c. Cuenta de 100 en 100 desde 396 hasta 996. **396, 496, 596, 696, 796, 896, 996**

© 2019 Great Minds®. eureka-math.org

Nombre ______________________ Fecha ____________

1. Llena los espacios en blanco. Di en voz baja el enunciado completo.

a. 1 menos que 160 son 159.

b. 10 más que 392 son 402.

c. 100 menos que 425 son ________.

d. ________ más que 549 son 550.

e. ________ más que 691 son 701.

f. 10 más que ________ son 704.

g. 100 menos que ________ son 986.

h. 10 menos que ________ son 815.

2. Cuenta los números en voz alta a uno de tus padres:

a. Cuenta por unidades del 204 al 212.

b. Cuenta por decenas del 376 al 436.

c. Cuenta por decenas del 582 al 632.

d. Cuenta por centenas del 908 al 8.

3. Henry disfruta observando a su rana saltar.

Cada vez que su rana salta, Henry cuenta en serie hacia atrás por centenas.

Henry comienza su primer conteo en 815.

¿Cuántas veces tiene que saltar su rana para llegar a 15?

Explica tu razonamiento a continuación.

© 2019 Great Minds®. eureka-math.org

1. Encuentra el patrón. Completa los espacios en blanco.

   a. 497, 498, **499**, **500**, **501**

   498 es 1 más que 497, entonces estoy contando hacia adelante, de uno en uno. Sé que 1 más que 99 es 100, entonces 1 más que 499 es 500.

   b. 571, 581, **591**, **601**, **611**

   581 es 10 más que 571, entonces estoy contando hacia adelante, de diez en diez. Sé que 10 más que 90 es 100, entonces 10 más que 591 es 601.

   c. 133, 123, **113**, **103**, **93**

   123 es 10 menos que 133, entonces estoy contando hacia atrás, de diez en diez. Sé que 10 menos que 100 es 90, entonces 10 menos que 103 es 93.

2. Completa la tabla.

Puedo contar 1 más o 1 menos mientras me muevo por la tabla. 1 más que 345 es 346. 1 menos que 366 es 365. Una vez que sé el patrón, es fácil completar la tabla.

¡Este rompecabezas tiene un patrón! Se parece a una tabla de cien. Puedo contar 10 más cuando me muevo hacia abajo en la tabla. 10 más que 348 es 358.

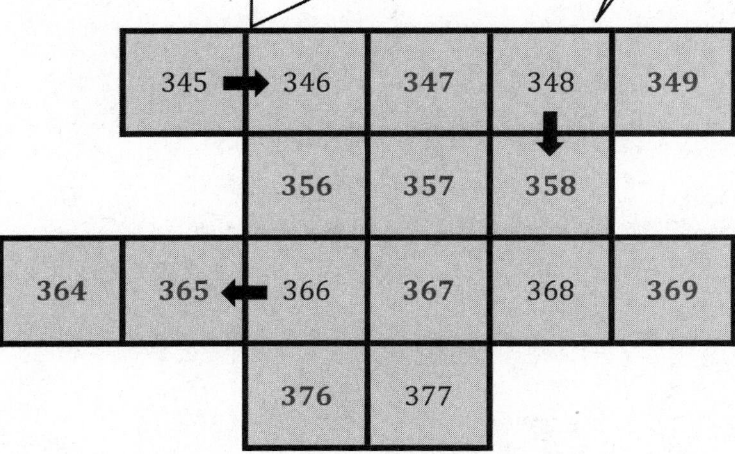
345
346
347
348
349
356
357
358
364
365
366
367
368
369
376
377

© 2019 Great Minds®. eureka-math.org

Nombre ______________________________ Fecha ______________

1. Encuentra el patrón. Llena los espacios en blanco.

   a. 396, 397, __________, __________, __________, __________

   b. 251, 351, __________, __________, __________, __________

   c. 476, 486, __________, __________, __________, __________

   d. 630, 620, __________, __________, __________, __________

   e. 208, 209, __________, __________, __________, 213

   f. 316, __________, __________, 616, 716, __________

   g. 547, __________, 527, __________, 507, __________

   h. 672, __________, 692, __________, __________

2. Llena la tabla.

	206				
			218		
					230
		237			

© 2019 Great Minds®. eureka-math.org

Créditos

Great Minds® ha hecho todos los esfuerzos para obtener permisos para la reimpresión de todo el material protegido por derechos de autor. Si algún propietario de material sujeto a derechos de autor no ha sido mencionado, favor ponerse en contacto con Great Minds para su debida mención en todas las ediciones y reimpresiones futuras.

© 2019 Great Minds®. eureka-math.org